MW00413187

Selvaggia Lucarelli

Crepacuore

Storia di una dipendenza affettiva

Rizzoli

Pubblicato per

Rizzoli

da Mondadori Libri S.p.A.
Proprietà letteraria riservata
© 2021 Mondadori Libri S.p.A., Milano

ISBN 978-88-17-14147-5

Prima edizione: novembre 2021

Realizzazione editoriale: Librofficina

Prefazione

Crepacuore non è la storia di un amore tragico e infelice tra una giovane vittima e un gaglioffo.

Non è nemmeno un *j'accuse* che denuncia il narcisista.

È un manifesto della dipendenza affettiva.

Quando Selvaggia Lucarelli annunciò, circa un anno fa sui suoi canali social, l'intento di volersi occupare di questo tema, le scrissi un breve messaggio: «Grazie, Selvaggia, per portare alla luce un argomento ancora così poco conosciuto come la dipendenza affettiva. Sono una psicologa e mi occupo di relazioni da oltre vent'anni e ho vissuto anche io all'inferno. So. Ti abbraccio».

In quelle brevi righe devo aver comunicato una sorta di comunanza.

«Dammi il tuo numero» fu la sua risposta, e ci ritrovammo a parlarne insieme nel suo podcast, *Proprio a me*, prodotto da Choramedia.

Da allora non passa giorno in cui non riceva richieste di aiuto o narrazioni di storie simili, dall'Italia e dall'estero, tutte con un *fil rouge* che le accomuna: una devastante sofferenza.

La frase più ripetuta: «Dottoressa, ho scoperto solo ora, grazie al podcast, che quello che sento ha un nome e si chiama dipendenza affettiva. Non riesco a staccarmi».

Questo libro, perciò, non solo è necessario, ma è anche prezioso perché ha una valenza ancora più divulgativa. La vicenda qui narrata descrive tutte le tappe della dipendenza relazionale, dipinge esattamente la danza macabra tra gli attori della vicenda, avvinghiati e complementari nel passo a due narcisisticodipendente.

Il libro racconta la storia dannata, avvelenata, di una relazione che segue uno script ben preciso. Presto i due protagonisti diventano semplicemente un uomo e una donna artefici e corresponsabili di uno schema intossicante, inesorabile.

Relazioni di questo tipo seguono un *iter* specifico in cui possiamo riconoscere le fasi di ogni tossicodipendenza: astinenza, trigger emotivo, rituale del consumo, sensi di colpa, ansia.

Da capo.

E ben lo declina, nella narrazione, Selvaggia, nella sequenza dei capitoli della storia in cui riconosciamo le varie tappe del copione: l'idillio, di solito caratterizzato da una forte chimica; l'incrinatura, il tappo dell'ammorbidente; l'inferno, fatto di rotture e riparazioni con un andamento oscillatorio e ambivalente; il fondo dell'abisso e la rinascita.

Leggendo questa trama, il lettore potrà attraversare un arcipelago di emozioni.

Selvaggia conduce chi legge in un viaggio dentro la propria psiche e, girone dopo girone, la vicenda assume un carattere universale in cui è possibile specchiarsi e riconoscersi.

Con uno stile intimo, con una scrittura onesta e cruda, Selvaggia offre la sua verità nuda, una discesa agli inferi nella quale non risparmia prima di tutto se stessa.

Ben descrive la perdita dell'Io; attraverso la scrittura, la protagonista compie un processo maieutico e catartico.

Lasciando da parte lo stile ironico che spesso la contraddistingue in altri suoi scritti, Selvaggia porta con sé il lettore nel suo cuore, trafitto e sconfitto, e diventa perciò soltanto umana.

«Non si è adulti, quando si è dipendenti» afferma a un certo punto nel libro. A svolgere il ruolo del coro greco il figlio Leon, il quale, allora ancora bambino, diventa il testimone, paradossalmente "adulto", della storia.

Unico spettatore integro di una vicenda tra due esseri spezzati e devastati.

L'accanimento è tipico di queste relazioni malate: «Non so stare con te e nemmeno senza di te», al punto da sfiorare la morte! Chi vive questo inferno arriva a trascurare il lavoro, i figli, la salute, mette a rischio la propria sopravvivenza, diventando orfano di se stesso.

Nella cultura greca classica, questo comportamento viene definito *hybris*: la sfida di chi vuole vincere a tutti i costi.

In effetti, queste storie nulla hanno a che vedere con l'amore, bensì molto di più con il potere.

I due protagonisti, entrambi ignari di chi sono veramente, chiedono costantemente conferma di sé all'altro.

Spesso possiamo riassumere il copione con queste due posture: «Amami!» mendica lei. «Ammirami!» esige lui.

Questo braccio di ferro estenuante fa da teatro a due disperazioni, entrambi restano irretiti come presi da una trance ipnotica. Lo sguardo dell'altro diventa vitale, ma è falso nutrimento.

La fame che caratterizza il dipendente è insaziabile, così come la ricerca di ammirazione da parte del cosiddetto manipolatore. I due restano cristallizzati nel proprio ruolo, condannati a non incontrarsi mai.

Perché non si vedono, non possono, non sanno.

Nel suo raccontarsi, Selvaggia fa una confessione universale e un'azione sociale che arriva al largo pubblico. Al contempo sdogana e denuncia un universo invisibile e sofferente.

Qualcuno potrebbe obiettare che sì, è passato del tempo e ancora parla di lui.

No, non è così: non c'è nessun lui interessante qui di cui parlare.

L'uomo che Selvaggia ha incontrato «non esiste», come dice Leon. Il personaggio maschile è un'ombra, come lo definirebbe Jung, un fantasma che presto diventa una comparsa.

È invece il suo dolore interiore il vero protagonista, che sviscera con noi lettori, parola dopo parola.

È la scrittura a svolgere una funzione terapeutica: quando si regala la propria storia al mondo, è un atto liberatorio, significa che si è andati oltre.

Qualcun altro potrebbe dispiacersi per il vissuto del figlio, talvolta tralasciato e messo da parte, costretto ad assistere a un modello di relazione così malsano; se ne rammarica, ora ben consapevole, Selvaggia.

Mi sento di rassicurare il lettore: scrivendo questo libro, narrando e risignificando la sua storia, Selvaggia non solo non si nasconde, ma dà un nome al suo dolore, lo rende pensato, e fa dono al figlio delle sue comprensioni.

Così facendo, non si sottrae alle sue responsabilità, gli regala autenticità, gli consegna ciò che della vita ha sofferto e scoperto fin qui.

Raccontandosi non lo illude con una versione edulcorata e patinata di sé, la presentifica di vita reale e gliela riconsegna ripensata e bonificata, come direbbe Bion, affinché il figlio possa continuare a distinguere il non amore da quello vero.

Quello senza picchi e cadute, quello a fianco fatto di valli e supporto, quello incontrato con Lorenzo, reciproco e condiviso.

Solo grazie a questa introspezione, dopo averlo attraversato tutto, quel dolore, Selvaggia ha potuto riordinare quanto ha vissuto, compiendo un rituale alchemico di trasformazione emotiva.

Il libro apre a nuove domande, e lascia intravedere una strada che resta sospesa e possibile dentro ognuno di noi, quella di comprendere a fondo le nostre radici, affinché possiamo trovare ali dentro noi stessi, e donarle a chi verrà dopo di noi.

di Ameya Gabriella Canovi, psicologa

Crepacuore

Siamo in guerra ed è una guerra di accerchiamento, ognuno di noi assedia l'altro ed è assediato, vogliamo abbattere le mura dell'altro e mantenere le nostre. L'amore verrà quando non ci saranno più barriere, l'amore è la fine dell'assedio.

José Saramago,
Storia dell'assedio di Lisbona

Tu che ti insinuasti come lama
nel mio cuore gemente; tu che forte
come un branco di demoni venisti
a fare, folle e ornata, del mio spirito

umiliato il tuo letto e il regno – infame
a cui, come il forzato alla catena,
sono legato; come alla bottiglia
l'ubriacone; come alla carogna
i vermi; come al gioco l'ostinato
giocatore, – che tu sia maledetta!
Ho chiesto alla fulminea spada, allora,
di conquistare la mia libertà;
ed il veleno perfido ho pregato
di soccorrer me vile. Ahimè, la spada
ed il veleno, pieni di disprezzo,
m'han detto: «Non sei degno che alla tua
schiavitù maledetta ti si tolga,
imbecille! – una volta liberato
dal suo dominio, per i nostri sforzi,
tu faresti rivivere il cadavere
del tuo vampiro, con i baci tuoi!».

Charles Baudelaire, *Il vampiro*

*A tutti quelli che hanno vissuto
una storia di dipendenza affettiva.
A chi ne è uscito.
A chi crede di non avere scampo.*

La ferita

«Non chiederti se saremo felici. Io so che lo saremo. Tanto. Tra le tue braccia io sarò duttile come la creta. Io sarò riservata e appassionata, fiera e sottomessa, come ogni eroina shakespeariana, se tu lo vorrai. O misteriosa, evanescente, pallida e trasognata come ogni creatura femminile del Poe. Non avrai che da scegliere.»

Era il 1965. Una ragazza imperiese di ventidue anni piena di talenti, ambiziosa, a un passo dalla laurea in giurisprudenza, si era innamorata.

Scriveva lettere appassionate all'oggetto del suo amore, uno studente fascinoso e irrimediabilmente fuori corso di Genova, che di anni ne aveva trentuno. Di lì a poco – fresca sposa –

quella ragazza avrebbe abbandonato l'università e si sarebbe trasferita in un luogo ignorato dalla geografia. Non fu mai docile come certe eroine shakespeariane.

Fu però sottomessa. Da se stessa, soprattutto, e dalle sue scelte. Dall'idea romantica dell'amore che la ingannò e la convinse che solo nell'amore sarebbe stata piena e risolta.

Quella ragazza era mia madre.

Ho attraversato la sua rabbia per anni, promettendo a me stessa che mi sarei presa tutto quello a cui lei aveva rinunciato. Che io sarei stata la donna che lei non era stata. Che avrei studiato, lavorato, viaggiato, che non le avrei permesso di specchiarsi in una figlia pavida e inerte. Avrei spezzato quella catena di infelicità immobile e rabbiosa, di vite mai partorite, rintanate nel ventre illusorio del romanticismo. Vite che erano state la sua e quella di sua madre, infelice per un marito capitano di navi mercantili sempre assente, e quella della madre della madre che voleva scrivere romanzi e alla fine aveva fatto la moglie.

Io avrei riscattato il loro passato. Mi sarei presa il futuro che non era stato. Sarei stata un'eroina, sì, ma della Marvel. Quale Shakespeare.

E così fu.

Solo che mentre mantenevo fede ai miei propositi, mentre lavoravo, studiavo, guadagnavo, viaggiavo, non mi accorgevo che avrei potuto affrancarmi da tutto, tranne che da una cosa: l'*imprinting* sentimentale. Nella sfera relazionale ero quello che avevo respirato, senza realizzarlo. E se negli altri aspetti della mia esistenza – dal lavoro alla vita sociale – stavo agendo per compensazione, in quella emotiva agivo per reiterazione.

C'era qualcosa di latente in me, trasmesso alla nascita o forse prima, un'urgenza fatale di essere amata, un'idea di amore assoluto e annientante che ho ritrovato nelle lettere di mia madre, che ho riconosciuto nella sua infelicità ringhiosa, nella sua illusione sognante di poter essere felice, seppur infelice come un'eroina shakespeariana.

Solo che non lo sapevo.

Non sapevo che mia madre fosse stata qualcosa in più che infelice. Non sapevo nulla di quel bacillo segreto e camuffato che avevo ereditato e di cui nessuna delle due conosceva il nome.

Finché non è arrivato lui.

Avevo trentatré anni e stavo per essere investita dalla consapevolezza tardiva di avere un guasto.

La memoria dell'anguilla

Con la lucidità di oggi posso affermare con certezza che di indizi di quello che stava per accadere ne avevo seminati un bel po', ma fino ai trentacinque anni ho vissuto con la beata inconsapevolezza di chi ha perso l'abitudine di osservare i dettagli. E il dettaglio ricorrente, dal primo amore del liceo all'ultimo che si stava sfasciando, era sempre quello: la mia sindrome dell'abbandono. Una sindrome che in realtà partiva da lontano. Da bambina, per un lungo periodo, mi svegliavo la mattina e rimanevo nel letto atterrita, piangendo il più silenziosamente possibile, convinta che i miei genitori mi avrebbero abbandonata. Che sarebbero morti, che mio padre sarebbe partito per qualche fantomatica guerra dall'altra parte del mondo. Quando iniziò la costruzione della centrale nucleare di Montalto di Castro (mai entrata in funzione), a pochi chilometri da casa mia, attraversai un lungo periodo di ostinata cupezza che nessuno riusciva a decifrare. Avevo otto anni ed ero assolutamente convinta che un incidente nucleare mi avrebbe resa orfana. Non avevo paura di morire, avevo paura di sopravvivere e di rimanere sola. Quando, anni dopo, arrivò la notizia che sarebbe stata convertita in centrale termoelettrica, provai un sollievo enorme, un alleggerimento emotivo che ricordo ancora oggi attraverso l'immagine vivida di mio padre che sventolava soddisfatto un articolo di giornale. Poi c'erano le discussioni tra i miei. «Un giorno vi sveglierete e non mi troverete più» era la frase più ricorrente di mia madre all'apice del climax. Mia madre, ovviamente, non sarebbe mai andata a comprare il pane senza mio padre e non si sarebbe allontanata da casa neppure se fosse stata infestata dallo spirito di Adolf Hitler, ma io – bambina – reputavo la minaccia plausibile. Mi chiudevo nell'armadio per non sentire, interrogavo mio fratello maggiore sull'attendibilità delle sue intimidazioni.

«Ma va» mi rispondeva sempre lui, che al massimo temeva l'abbandono degli Spandau Ballet da parte di Tony Hadley. Certe volte, dopo le liti più violente, in casa seguivano lunghi periodi di silenzio. Un silenzio scuro e pervicace, che temevo potesse precedere una fuga, un addio, un abbandono senza preavviso. In quel silenzio io sentivo il preludio della mia solitudine. Allora – nell'età in cui i dettagli sono fotografie – cercavo dei segnali, anche piccoli, per decodificare il presente. Per comprendere quanto fosse grave la crepa tra i miei genitori. Nessuno mi spiegava nulla, mio padre e mia madre non avevano l'abitudine di ritenerci spettatori, i miei fratelli vivevano il conflitto come normale amministrazione. E io quindi osservavo. Osservavo tutto, le carezze respinte, i baci rifiutati, le domande abortite perché prima del punto interrogativo l'altro cambiava stanza, gli sguardi posati sulle spalle dell'altro, gli sforzi di rivolgere la parola a noi figli, perché noi figli eravamo incolpevoli, ma rompere il silenzio era un segnale di normalità che l'uno non voleva lanciare all'altro. Ero solo una bambina, ma senza accorgermene stavo imparando un codice. Stavo assimilando una modalità relazionale che avrei replicato molte volte, in futuro, senza neppure rendermene conto. Mio padre era un uomo di poche parole e il suo silenzio non mi impressionava. Mia madre era una donna di molte parole, il suo silenzio era dirompente e punitivo. Mi terrorizzava.

Un'estate andammo in vacanza in Sardegna. Per percorrere la distanza tra nord e sud mio padre decise di non imboccare la Carlo Felice, ma una strada panoramica. Mia madre era terrorizzata dalla macchina. Del resto, tra le tante cose che non ha fatto per rendersi autonoma e per dipendere in tutto da mio padre c'è stato il prendere la patente. Quella strada era una curva continua, un burrone dopo l'altro. A tutto questo si aggiungeva il fatto che il giorno prima mia madre e mio padre avevano litigato. Non sapevo quale fosse l'origine del conflitto, ma conoscevo il duro codice del silenzio tra di loro, quel guardare sempre dritto di mia madre quando mio padre tentava un approccio, come se l'orizzonte, da qualche parte, le suggerisse la soluzione. O una via di fuga. Quel viaggio fu infernale. Avevamo tutti paura degli strapiombi che accompagnavano ogni curva, io e i miei fratelli avevamo la nausea, mia madre non parlava con nessuno ma teneva stretta la mano sulla maniglia sopra il finestrino, quindi capivamo che era nel panico. Era arrabbiata per via di mio padre e impaurita per via della strada, io sentivo quella tensione appiccicata addosso, assieme al sudore. Pensavo che quello sarebbe stato l'ultimo viaggio tutti insieme, che lei ci avrebbe abbandonati, che quella mano stretta alla maniglia, come se stesse viaggiando su un vecchio tram, fosse l'ultima stretta prima di volare via. Dopo ore di tornanti e silenzio, il viaggio finì. Mia madre aprì bocca per la prima volta il giorno dopo, al mare. «Mi fa male il dito, non riesco a muoverlo» disse. Mio padre la portò al pronto soccorso. In quel misto di paura e cose non dette, di terrore e rabbia soffocata, aveva stretto così forte quella maniglia che si era fratturata un dito. Non dire può fare molto male, avrei dovuto impararlo. Negli anni, ho cercato innumerevoli spiegazioni per i silenzi di mia madre. Alla fine, ho concluso che era l'unico modo che conosceva per acquisire un'illusoria idea di forza nel suo matrimonio. Incapace di prendersi ciò che la sua intelligenza e i suoi talenti avrebbero meritato, completamente pervasa in gioventù dall'ideale dell'amore assoluto e poi delusa dalla realtà (che comunque non avrebbe mai potuto essere all'altezza delle sue aspettative), sceglieva il silenzio perché ammettere ad alta voce la verità era troppo doloroso. La verità è che mia madre, sebbene non fosse capace di riconoscerlo, dipendeva completamente da mio padre. Quando lo ha incontrato, ha rinunciato a una parte di sé, convinta che lui potesse colmarla. Quel vuoto non le ha mai dato pace.

E non mi ha mai dato pace, perché quel vuoto era anche il mio. Un vuoto più subdolo, perché mascherato da molti "pieni". Successi scolastici, il trasferimento a Roma appena finito il liceo, relazioni, lavori appaganti. Non c'era tempo per interrogarsi su cosa non andasse nella mia vita, perché la mia vita era tutto quello che mia madre non aveva avuto, quindi stavo facendo bene. Non sarei stata arrabbiata, mi sarei potuta comprare un vestito con i miei soldi, quello che scrivevo non sarebbe rimasto in un cassetto come le poesie di mia mamma, avrei vissuto dove succedono le cose, mica dove ci si va a nascondere. Ero bella, i ragazzi si giravano a guardarmi, avevo la mia forma di potere, avrei governato le mie relazioni, sarei stata felice. Lo ero già, in qualche modo, mi pareva.

Avevo però la memoria dell'anguilla. L'anguilla europea, in età adulta, compie una migrazione incredibile: attraversa l'oceano Atlantico, pur non essendo una nuotatrice fenomenale e va a deporre le sue uova nel mar dei Sargassi, tra le Antille e le Azzorre. Immaginate questo viaggio lungo anche cinquemila chilometri, che so, da Comacchio ai Caraibi, per poi riprodursi e morire lì. Ecco, le larve "orfane", senza una guida adulta, possiedono quella che qualcuno ha denominato «memoria magnetica». Non restano dove nascono. Nuotano tre anni, sfruttano le correnti oceaniche e tornano dove "la madre" era partita. Le anguille sono animali misteriosi, la cui complessità appassionò anche un giovane Sigmund Freud, nel suo periodo di studio presso la stazione zoologica di Trieste.

Io ero andata lontano, ero sola in una grande città con i miei mezzi e le mie capacità, a una distanza di sicurezza da contaminazioni emotive, ma avevo la memoria dell'anguilla. Sarei tornata lì, nonostante tutto. Senza deciderlo, seguendo una corrente emotiva la cui temperatura e direzione mi erano inconsapevolmente familiari.

Dai sedici ai trentacinque anni non ho mai vissuto una pausa sentimentale. Il ragazzo del liceo mi lasciò dopo due anni di miei inutili struggimenti. Conservo un diario dell'epoca in cui non facevo che scrivere quanto poco mi sentissi amata, nonostante lui mi rassicurasse in ogni modo. Rinunciavo alle gite per stare con lui, piagnucolavo quando lui partiva, vedevo il suo ingresso all'università come una minaccia: troppi chilometri, troppi treni, troppe occasioni, troppa vita fuori da noi. Il giorno in cui lui, Marco, fece la cosa più giusta della sua vita ormai adulta (mi mollò, esausto) io mi feci trovare sul bordo del letto, in lacrime, dai miei genitori. «Non mi vorrà mai più nessuno» dissi. Mi consolarono, ignari del fatto che per me quello era il giorno in cui si compiva l'autoprofezia più temuta: ero stata abbandonata. Da quel momento, in ogni relazione successiva, mi assicurai di avere il controllo della situazione. Ho collezionato poche storie, rigorosamente lunghe, in cui avevo un ruolo dominante, in cui la mia fame d'attenzione e d'accudimento era continuamente soddisfatta da fidanzati pazienti e amorevoli. In cui la simbiosi era dovuta, perché qualunque slancio individuale dell'altro era per me un affronto, una minaccia, un tradimento. Ero una discreta manipolatrice affettiva, ma non nascondevo chissà quali mire: desideravo solo che l'altro mi sfamasse. Sempre e continuamente.

Questa consapevolezza all'epoca era lontanissima. Non c'era qualcosa che non andasse in me, era l'altro che non mi dava abbastanza. Era l'amore che andava così. Era la forma di tutte le relazioni. E se qualcuno amava diversamente era perché non amava abbastanza.

Alla fine, dunque, con fidanzati così adoranti e cedevoli, trovavo un habitat per le mie inquietudini.

Il lavoro e tutto quello che di positivo arrivava fuori dalla relazione mi entusiasmava e allo stesso tempo mi spaventava. Poteva allontanarmi e questo mi rendeva insicura. Cercavo il modo di creare occasioni di lavoro con i miei fidanzati e ci riuscivo, ero brava, perché mai dovevo fare l'attrice se potevo scrivere spettacoli al mio fidanzato attore o se potevamo recitare insieme? Perché mai lui la sera doveva andare a lavorare da solo, in discoteca, se anche io potevo fare la pr e lavorare con lui? (A vent'anni diventai bravissima perfino come pr, chi l'avrebbe mai detto.)

Poi, quando la scrittura e i primi successi sul web e in tv, slegati da ogni relazione, cominciarono a crearmi un'identità più precisa, a schiarire l'orizzonte delle mie attitudini, a chiedere a gran voce che cominciassi a non spartire più i traguardi con nessuno, nel giro di pochi mesi misi in pausa il futuro che si stava delineando: mi sposai. Sei mesi dopo nacque Leon. In sostanza, mi fermai quando stavo iniziando a correre. Mi sposai – e questo è il paradosso – quando stavo diventando una persona sola. Avevo ventinove anni, il mio primo contratto da conduttrice tv ed ero incinta. Durante la gravidanza smisi di scrivere sui giornali con cui avevo importanti collaborazioni appena nate, mi dicevo: "Voglio godermela". Ricordo quando inviai la mail al noto direttore di una rivista in cui gli comunicavo che «sono incinta, quindi sospendo la mia collaborazione». Mi rispose sorpreso: «Sei il primo caso di donna a cui al terzo mese di gravidanza vengono le nausee di scrivere». In effetti, che "volessi godermela" era ciò che mi raccontavo, ma non era vero. La verità è che continuavo ad avere paura della mia indipendenza. Da una parte facevo, costruivo, perché ero brava e perché volevo prendermi tutto, dall'altra disfacevo perché quel mio desiderio non era compatibile con la fusione totale nell'altro.

La memoria dell'anguilla si risvegliava ogni volta che arrivavo troppo lontano. Dovevo tornare in quel posto che qualcuno prima di me aveva abitato, qualcuno con i miei occhi, il mio passo e il mio stesso odore.

Il primo buco

Nel 2007 avevo un figlio di due anni e un matrimonio di tre, precocemente invecchiato. Quel fallimento, appunto, era il naturale approdo di due scelte infelici: quella mia e quella del mio ex marito. Dopo un anno dal parto ero tornata a lavorare e mi sentivo addosso l'irrequietezza solita di chi tira una coperta sempre troppo corta. La separazione l'avevo voluta io. In età adulta avevo chiuso io anche le mie relazioni precedenti. E non le chiudevo mai quando sentivo che erano esaurite, ma solo quando ero certa di avere un nuovo approdo. Un intervallo di solitudine, di vita sentimentalmente sgombra mi sembrava un'idea intollerabile. Questo comportamento, credo sia superfluo specificarlo, ha fatto sì che non abbia lasciato ricordi svenevoli e petali di rosa dietro di me. In definitiva, quando trovavo qualcuno capace di sfamarmi con rinnovato entusiasmo, l'altro poteva rimanere pure col cucchiaio sospeso a mezz'aria: aveva esaurito la sua funzione. Poi certo, in qualche caso c'è stato un discreto concorso di colpe, ma sopra ogni cosa prevaleva la mia coazione a ripetere uno schema malsano, in cui il mio ruolo dominante rimandava il momento in cui avrei dovuto comprendere il guasto.

Nel 2007 quel tempo era scaduto. Era arrivato il momento di fare i conti con la mia ferita primordiale. Stava per iniziare un lungo, rovinoso periodo di dipendenza.

Il primo buco fu una mail.

Niente di speciale, a dire il vero: «Ciao, ti ho vista a *Buona Domenica* e ti ho trovata simpatica. Non sono uno sfigato che scrive a una che ha visto in tv, se non ci credi vai pure su Google e cerca il mio nome. Ciao».

Era una mail, appunto, come tante. O forse no.

Perché era una mail che non diceva "Ciao" o "Mi piaci", era una mail che diceva: "Ehi, guarda chi sono". Ma questo l'ho capito dopo, è troppo facile ripercorrere gli indizi all'indietro, come in un libro giallo. In quel periodo avevo da poco iniziato a scrivere articoli sferzanti, di critica televisiva e di costume, innervosendo star e potenti. Frequentavo sporadicamente i salotti tv, l'anno prima avevo partecipato a un programma di un certo successo uscendone come una donna sicura e risoluta. La conduttrice, durante l'ultima puntata, mi consegnò uno di quei premi scemi tipo Tapiro – era la testa dorata di un cammello – perché ero stata la concorrente con la più spiccata personalità di quell'edizione. Gli uomini mi vedevano come una specie di dominatrice, qualcuno mi scriveva proponendomi di fare il mio maggiordomo, di pagarmi le bollette, di essere il mio schiavo sessuale. Giuro di non aver mai valutato alcuna di queste opzioni, sebbene la storia delle bollette e dei *money slave* mi abbia tentato più volte. Insomma, ero una che non dava l'idea di possedere pieghe di fragilità in cui infilarsi. Del resto, questo è un equivoco frequente: tendiamo a identificare le persone con il lavoro che fanno, con quello che comunicano in pubblico, con il percepito. E invece c'è una stanza segreta in ognuno di noi, un luogo in cui il passato mastica il presente e restituisce una poltiglia amorfa di codici e filtri emotivi che spesso non c'entrano nulla col resto della nostra vita. Ho avuto amici profondamente irrisolti nella loro sfera professionale, fuori fuoco rispetto alle loro attitudini, con relazioni sane e adulte. E poi persone come me, con posizioni e tempra invidiabili, trasformarsi in neonati al primo vagito nella loro vita sentimentale.

Apparivo, insomma, una donna forte.

Lui, l'uomo della mail, aveva scritto a una donna forte. Famosa. Temuta. E io stessa non avevo alcun dubbio che fosse così.

Andai su Google come da suo suggerimento e guardai chi fosse. Era il pezzo grosso di un'azienda nel ramo della comunicazione. Qualche anno più di me, belloccio, milanese.

Inviai una risposta leggera, in cui era già evidente un atteggiamento ironico, sì, ma in fondo autosvalutante:

«Ciao,

il fatto che tu mi abbia vista a *Buona Domenica* mi addolora. Avrei preferito che mi vedessi davanti a un falò sulla tangenziale, a un convegno dell'Udeur, alla prima di *Matrimonio alle Bahamas*. Ho inserito il tuo nome su Google e mi pare di aver capito, anzi no, ne sono certa, che lavori nella comunicazione. Immagino che tu non abbia molto tempo da dedicare a scambi epistolari con frequentatrici saltuarie di salotti televisivi, perciò ecco, sei stato carino a scrivermi. Immagino tu stia a Milano. Io conduco un programma Sky nella tua città e sono mesi che faccio pendolarismo (la mia base è Roma). Prima che continui a darti informazioni non richieste tipo il mio colore preferito e l'ultima capitale europea che ho visitato, mi fermo. Selvaggia».

In qualche modo, avevo già stabilito i ruoli: io ero una sciocca frequentatrice di discutibili salotti tv, lui era il professionista che mi aveva concesso minuti del suo prezioso tempo.

Giusto un altro paio di mail e ci scambiammo i numeri di telefono. Seppure a distanza, iniziò da parte sua una travolgente fase di *love bombing*. Messaggi, mail, telefonate notte e giorno, confidenze non richieste sulla sua vita sentimentale pregressa, domande sulla mia, su mio figlio, invio di canzoni romantiche, fotografie del suo ufficio, della sua casa, della sua quotidianità. Traspariva, dai suoi racconti, un grande desiderio di trovare una compagna. Le sue ex, diceva, erano state tutte esseri angelicati e meravigliosi ma poi, per qualche ragione impenetrabile, le storie erano naufragate. Aveva quarant'anni, era single, non aveva figli. Non aveva mai neppure convissuto con una donna, se non per brevi periodi. «Sai, quando è finita con lei avevo bisogno di riappropriarmi dei miei spazi, per me la casa è una delle cose più importanti, me la sono fatta progettare come dicevo io. Dopo la fine della mia relazione mi avvolge, mi protegge» mi spiegava. Insomma, lasciava vagamente intendere una scarsa vocazione alla condivisione degli spazi, ma non mi spaventava. Più lui insisteva sul fatto che non ci fosse mai stata una donna capace di convincerlo a compiere passi impegnativi, più io sentivo che era una sfida alla quale non mi sarei sottratta. Io l'avrei persuaso, l'avrei compreso, sarei stata diversa e, soprattutto, l'avrei reso diverso.

Non ci eravamo ancora neppure visti ma questa faccenda di una sua certa resistenza al lasciarsi andare, ad allentare le briglie e al vivere tutto come un'invasione, era diventata oggetto di conversazioni giocose. Io lo chiamavo Scrooge come il protagonista avaro e anaffettivo di *Canto di Natale* e lui si divertiva molto. Anzi, lasciava intendere che in un mondo di donne che con lui avevano fallito la missione di renderlo migliore, io sarei potuta diventare il fantasma artefice del suo ravvedimento. Il sospetto che Scrooge sarebbe rimasto Scrooge non mi passava neppure per la mente. Che a Scrooge andasse benissimo la vita del ricco misantropo, impermeabile alle emozioni, ancora meno. Figuriamoci. Lui voleva essere salvato e aveva riconosciuto in me il bagliore del miracolo.

Dopo un paio di settimane ci incontrammo in un bar, a Roma, nell'algida scenografia del quartiere Eur, dove lui aveva un convegno. Mandò un'auto a prendermi, aprì la portiera e poco dopo, sorseggiando un caffè annacquato, appoggiati al bancone liberty di quel bar mediocre, mi prese la mano. Imparai, in quella mano che stringeva la mia, la potenza della chimica, di qualcosa che non governi tu, che ha a che fare con una sfera primitiva. E infatti, non potevo saperlo, il nome del ristorante in cui andare quella sera fu l'ultima cosa che governai io.

Tutto troppo

Scoprii molti anni dopo, quando seppi dare un nome a quello che mi era successo, che i rapporti tossici hanno un inizio molto simile: tutto, all'inizio, è oltre l'idillio. Accade qualcosa di inebriante che invade la carne e i pensieri. Quando ero con lui io non ero solo felice. Ero dissetata. Provavo qualcosa di simile a un appagamento. E quando non ero con lui sentivo uno strano disordine emotivo, una specie di febbre, di sete che dovevo placare. Vivevo le mie giornate senza di lui come un intervallo, una pausa dell'esistenza. Mi spegnevo, in attesa di riaccendermi quando lo avrei rivisto. Ero appena diventata una giovane tossica, convinta, al contrario, di aver colmato quella zona irrimediabilmente cava della mia emotività.

Quando si assume eroina, la droga arriva dal sangue al cervello. Nel cervello diventa morfina e si lega ai recettori degli oppioidi. A quel punto si prova il famoso "flash euforico", un'ondata di piacere, calore e distensione, come se ogni cosa fosse al suo posto, compiuta, in un equilibrio perfetto. Io, quando stavo con lui, provavo esattamente queste sensazioni. Chi non ha mai attraversato un rapporto di questo tipo crede che quella della similitudine con la droga sia un'efficace scelta narrativa, una sorta di artificio retorico per ammantare un'infelice esperienza sentimentale di un'aura tragica e vittimistica. Qualcuno, addirittura, trova irrispettoso l'accostamento tra dipendenze affettive e dipendenze da droghe, alcol, gioco, senza sapere che nel 2013 proprio la dipendenza affettiva è stata inserita nel Dsm-5, il manuale diagnostico e statistico dei disturbi mentali. Il fatto che sia stata inserita nella lista delle *new addiction* così tardi spiega perché tante persone come me non siano riuscite a dare il giusto nome alle cose, mentre capitavano. O perché l'hanno scoperto troppo tempo dopo, riconoscendo quei sintomi e quelle dinamiche con l'ansia e il turbamento di chi vede una vecchia foto segnaletica e riconosce, dopo anni dall'accaduto, un ladro o un assassino. Io ero scivolata in una dipendenza senza accorgermene. Non sapevo neppure che esistessero le dipendenze affettive, figuriamoci se avrei mai potuto immaginare di essermi impantanata in una relazione disfunzionale. Ero cupa e inebetita quando non c'era lui perché – ovvio – ero troppo innamorata. Ero euforica e sovreccitata quando stavo con lui perché – ovvio – ero troppo innamorata. Ogni piccola incomprensione era una sciagura emotiva perché – ovvio – ero troppo innamorata. Ed era vero che era tutto "troppo". Non era vero, però, che ero innamorata. Mi ero ammalata. Troppo.

Il tappo dell'ammorbidente

Gli esordi di una malattia sono spesso trascurabili, finché non accade qualcosa di altrettanto insignificante, che appare però estraneo alla propria routine o, addirittura, alla propria biologia.

Un naso che sanguina, uno strano prurito, un mal di testa che non passa.

Nel mio caso, fu il tappo di un ammorbidente.

Dopo quattro mesi da quella sua mail simpaticamente egoriferita vivevo già a casa sua con mio figlio. La conoscenza tra lui e Leon era avvenuta durante qualche weekend a Milano in cui avevo assistito a quello che mi veniva rappresentato come un autentico miracolo: lui apriva la porta della sua casa non solo a una donna, ma perfino a un bambino. Mi sentivo privilegiata, "la prescelta". Era la conferma del fatto che io, solo io, ero riuscita a rompere quell'incantesimo di diffidenza nei confronti delle relazioni che occupano tempo e spazi. E poi, insomma, mi accettava con tutte le fatiche del caso – un bambino, una separazione burrascosa, la distanza –, era davvero un uomo incredibilmente generoso. Leon – e questo è bizzarro – lo accolse nel suo mondo di piccoli riferimenti con una tenerezza stupefacente. Quando scendevamo dal treno, appena lo scorgevamo in lontananza, gli correva incontro buttandogli le braccia al collo. Lui era frastornato, inadeguato nei gesti (lo toccava con la prudenza di chi maneggia una mina antiuomo) ma, credo, ammorbidito e conquistato dall'entusiasmo candido, pieno di fiducia di mio figlio. L'intesa tra i due, destinata a sfumare nel giro di poco, credo sia stata l'effetto di quel *love bombing* che in un modo o nell'altro ha investito anche Leon. Anche quel piccolino di tre anni aveva subìto il fascino del bravo manipolatore affettivo, capace di effusioni travolgenti e di un'intensità mai provata. E poi, in fondo, contribuivo io stessa ad alimentare in mio figlio l'idea che lui fosse un essere meraviglioso, sottolineavo ogni sua gentilezza: «Hai visto lui che bel regalo ti ha fatto?», «Hai visto che cosa carina che ti ha detto?», «Hai visto che gentile, ci è venuto a prendere in stazione?». All'epoca mi sembrava di mettere olio nell'ingranaggio della confidenza tra loro due, con il senno di poi credo che la mia spinta primaria fosse un' altra: la paura. Avevo paura che lui non mi accettasse. Che la mancata intesa con mio figlio potesse allontanarlo da me, che una strada in salita avrebbe potuto scoraggiarlo. In fondo, la mia felicità passava anche attraverso la loro complicità, e non potevo permettermi che qualcosa non funzionasse.

Mi chiese di trasferirmi a Milano che era quasi primavera. «Non portare arredamento dalla tua vecchia casa e, soprattutto, niente di colorato, ci tengo che rimanga così come l'ho progettata» specificò. Doveva sembrarmi una raccomandazione sinistra, invece pensai che avesse ragione. La sua casa era perfetta così. E poi non volevo mica farmi lasciare per una fontana di Buddha che si illumina di notte?

Dicono che le case ci somiglino. La sua era un loft molto milanese, quasi un cliché. Eppure, nonostante le apparenze, non era stata pensata perché dovesse aderire a qualche stereotipo. Era davvero la sua proiezione. Era lui. Nessuna parete, nessun armadio, cucina d'acciaio a vista. Camera da letto al piano di sopra, a cui si accedeva da un ballatoio. In quella casa, in qualsiasi angolo ci si trovasse, il senso del controllo era perfettamente appagato. Non c'era luce, perché era un piano terra che dava su un cortile, dunque le tende erano opache e necessarie. Nel seminterrato, visibile tramite una piccola sezione di vetro nel parquet del piano terra, c'era una zona relax con una piccola piscina bassa, sempre vuota. Le pareti di tutto il loft erano bianche, il parquet quasi nero, non era concesso alcuno spazio al colore. E non era solo una scelta estetica, era una regola. Sì, regola. Perché se entravi in casa sua accettavi le sue regole.

Lo scoprii giorno dopo giorno e comunque non "quando ormai era troppo tardi", perché anche se l'avessi intuito prima, l'avrei accettato comunque.

La prima regola era, appunto, che in casa sua

non dovevano entrare colori. Erano ammessi solo
il beige, il nero e il bianco. Anche il marrone, ma
solo nei giorni in cui si concedeva un colpo di
testa. Mi aveva chiesto, appunto, di non portare
nulla di mio come oggetto di arredo, neanche una
federa verde o un vasetto giallo. L'unica concessione al colore erano dei fiori freschi, da acquistare un paio di giorni a settimana perché al ritorno
dal lavoro amava trovarli sul tavolo nell'area salotto. L'Ordine era una specie di religione a cui
bisognava votarsi acriticamente, senza concessioni
e zone franche. Io, che ero una persona media-
mente ordinata, mezz'ora prima del suo rientro
ispezionavo ogni angolo della casa come un arti-
ficiere al raduno contro le mafie. Doveva trovare
la casa come l'aveva lasciata, e quindi: non bisognava mai dimenticare anche solo una tazzina nel
lavandino. I piatti e le posate si lavavano subito
dopo il loro utilizzo. Se si apriva l'acqua, in qualunque stanza della casa, anche solo per lavarsi le
mani, poi bisognava asciugare la superficie umida
con un panno. Il lavandino, il vetro della doccia,
la piscina dovevano essere sempre asciutti. Non

dovevano rimanere aloni, macchioline di calcare, opacità antiestetiche. E in effetti, la piscina andava usata con parsimonia (cioè praticamente mai) perché «crea umidità e umidità vuol dire muffa». Dunque, la famosa area benessere era fonte di suo grande malessere. Non si poteva mangiare portando il cibo in giro per casa, cadevano briciole e le briciole, anche le più invisibili all'occhio umano, lui le avvistava, si inumidiva il pollice e le tirava su, attaccate al polpastrello. Mangiare una merendina lì dentro equivaleva a maneggiare il polonio in un laboratorio russo. Nel weekend assistevo al rito dell'ispezione delle pareti. Spugnetta denominata "gomma magica per muri" in mano, lui controllava le pareti bianche della casa centimetro quadrato per centimetro quadrato in cerca di aloni, ditate e qualsiasi prova dell'esistenza di esseri umani dotati di arti tra le pareti domestiche, per eliminarle prontamente. Per dire, le scale per accedere alla camera da letto o all'area relax/camera di Leon erano delle semplici assi di legno infilate nel muro, senza ringhiere, ma noi non eravamo autorizzati ad appoggiarci alla parete per salire. Era una sua fissazione, un *Diktat*. Dunque, in caso di perdita di equilibrio, è probabile che se avessi dovuto scegliere tra il vuoto alla mia sinistra e la mia mano sudicia sulla parete candida alla mia destra, avrei scelto di schiantarmi al suolo. Ovviamente avendo cura di non rovinare il parquet.

Tutto questo mi pareva eccessivo, certo, ma LUI mi aveva accolta e generosamente voluta con un bambino di tre anni, ero così fortunata, non dimentichiamolo. L'unico particolare che non riuscivo a spiegarmi era quello che aveva lasciato sulla credenza all'ingresso. Mi appariva un dettaglio sadico, di difficile interpretazione. In una grande cornice d'acciaio c'era una foto con la sua ultima fidanzata. L'unico ritratto presente in tutta la casa, oltre che l'unica concessione ornamentale che richiamasse un pezzo della sua vita, dei suoi affetti. C'erano molti premi, targhe, riconoscimenti, ma nessuna immagine che ritraesse un pezzo di infanzia o di famiglia. E la stranezza non finiva lì, perché oltre quella foto che faceva bella mostra sul mobile dell'ingresso, lui conservava una gallery di foto delle ex sul suo computer (e fin qui, tutto normale), gallery che per ragioni incomprensibili amava mostrarmi. Descriveva le sue fidanzate passate con parole seriali: tutte bellissime, realizzate, apprezzate qui e all'estero, «donne meravigliose». E quando un giorno gli domandai perché mi stesse mostrando l'ennesima foto di una sua ex preistorica, mi rispose: «Perché in fondo qui a Milano le mie ex sono state la mia famiglia, devi conoscere la mia famiglia, no?».

In realtà, stava creando in me un'intima, malsana competizione con il suo passato. Stava alimentando il mio senso di inferiorità. Aveva fiutato il terreno su cui lavorare, il mio punto di forza. Quello di sentirmi una donna bella, realizzata e, soprattutto, speciale per lui. Sapeva che minando le mie aree di certezza, la mia autostima, sarebbe arrivato facilmente a toccare il mio vero punto di dolore: la paura di essere abbandonata. O forse non lo sapeva, agiva mosso da un istinto manipolatorio che andava perfino oltre le sue intenzioni razionali.

E quindi arriviamo al tappo dell'ammorbidente.

Dopo qualche giorno di convivenza feci un'innocua lavatrice. Lui tornò dal lavoro, andò nella stanza lavanderia e lo sentii mugugnare. «Non hai avvitato bene il tappo dell'ammorbidente» sottolineò con freddezza. «Ah ok» risposi distrattamente. «No. Non è ok. Se non avviti il tappo e durante la centrifuga il flacone cade, il liquido finisce per terra, sul mio parquet. Sei pregata di avere più attenzione per la casa e per tutto quello che ci sta dentro, sempre se ne sei capace.»

Era un'ammonizione dura e inattesa per un fatto non solo di scarsa rilevanza, ma che non era neppure avvenuto. Mi sentii mortificata. Era come quella foto sulla credenza. Non riuscivo a decodificare quel registro. Mi sembrava inspiegabile e sproporzionato rispetto alla "colpa". Fatto sta che quella fu la prima, vera discussione nata da un suo rimprovero. Non sospettavo che l'ammorbidente avvitato male fosse l'esordio di una storia avvitata male, destinata a vivere in una perenne centrifuga.

Né con te né senza di te

Il *love bombing*, quella sua abilità nell'investirmi di passione, attenzioni e promesse d'amore assoluto, morì in culla. Anche il lato apparentemente fragile, quel suo lasciarmi intendere che volesse risolvere l'incapacità di investire fino in fondo in una relazione, divenne presto un mio falso ricordo. Il suo riconoscere un egoismo congenito e mal sopportato perfino da se stesso era solo un escamotage per darsi una seducente e premeditata aria di vulnerabilità. La sua debolezza era stata un'esca.

Serviva solo a renderlo più affascinante.

La vita in quella casa fu orribile.

Le regole divennero morse sempre più strette in cui io e mio figlio finimmo schiacciati in poco tempo.

Leon, che lui aveva accolto con iniziale entusiasmo, non poteva giocare sul parquet, perché il parquet poteva graffiarsi. Un giorno lui gli levò una castagna dalle mani, perché la faceva rotolare per terra e chissà quale indelebile sfregio avrebbero potuto lasciare sul pavimento. Sceglievamo i giochi per mio figlio in base al loro materiale e al livello di spigolosità dell'oggetto. Se erano appuntiti, di ferro o plastica dura erano un potenziale pericolo per la casa. Lo stesso valeva nella sua macchina, una macchina di lusso che gli aveva messo a disposizione l'azienda. Mio figlio, nei brevi o lunghi viaggi seduto dietro sul seggiolino, non poteva tenere in mano un robot o il suo Godzilla. Giocando, poteva graffiare lo sportello dell'auto o la tappezzeria. La faccenda più seria, però, era quello che accadeva in casa.

Mio figlio non poteva possedere una sua cameretta, e questo, visto che vivevamo in un loft, era evidentemente dovuto alla conformazione della casa. Il problema era serio perché se è vero che una qualsiasi persona al mondo avrebbe risolto la questione piazzando il suo lettino da qualche parte, il lettino, come ogni oggetto di arredo non previsto nel progetto originario, lì dentro non poteva entrare. Danneggiava l'estetica della casa, diceva lui. Sarebbe stato "a vista" ovunque fosse sistemato. Dunque, lui decise che Leon avrebbe dormito nell'area relax davanti alla piscina (vuota, ma molto bassa, tipo vasca), nel seminterrato. Due piani sotto la nostra camera. E io accettai la sua decisione. Non ebbi il coraggio di oppormi perché compiacerlo era l'unica strada percorribile per rimanere lì con lui. Mio figlio dipendeva da me, dalle mie decisioni, era vero, ma io dipendevo da lui, dal mio fidanzato. Come tutti i tossici, ero schiava della mia "sostanza". Non si è adulti, quando si è dipendenti, neppure a trentacinque anni.

Leon, là sotto, aveva paura. Non c'erano giochi, lucine sul soffitto, libri con i dinosauri, i poster di qualche cartone animato. Solo pareti bianche. Diceva che faceva brutti sogni. Una mattina me lo trovai in camera, aveva fatto tutte le scale da solo per salire, a quattro zampe. Nonostante tutto, si lamentava poco. Il mio bambino stava sviluppando una precoce, silenziosa maturità che più volte mi avrebbe disarmata nel corso di quegli anni di buio. Io sapevo, ovviamente, che quella soluzione era ingiusta e pericolosa, che un bambino di tre anni non avrebbe dovuto dormire accanto a una vasca vuota, ma non riuscivo a oppormi. Sapevo che dire no avrebbe messo in discussione la nostra storia e di fronte a ogni bivio, in quella fase della mia vita, io avrei sempre scelto lui. Oggi, guardandomi indietro, faccio ancora fatica ad ammetterlo, ma la felicità di mio figlio, la sua sicurezza perfino, erano la cosa più importante solo in quei rari momenti in cui sentivo di aver messo la mia relazione al sicuro. L'unico pericolo che avvertivo come costante e incombente era quello che lui mi lasciasse per la mia evidente inadeguatezza di fronte alle sue esigenze di disciplina e organizzazione.

E quindi non solo non protestai, ma pensai che più mi sarei adeguata a quella follia ossessivo-compulsiva, più lui mi avrebbe amata.

Poi c'erano i soldi. Quelli furono fin da subito un problema. Io, trasferendomi a Milano, avevo fatto una scelta dispendiosa. Avevo abbandonato una casa acquistata da poco, con un mutuo da pagare, il nido di Leon era costoso, il lavoro era in una fase di stallo, mi stavo separando, c'erano gli avvocati e molto altro. Lui non aveva alcuna intenzione di aiutarmi, questo fu chiaro fin da subito e sebbene io desiderassi conservare la mia indipendenza economica, piano piano mi accorsi della sua grettezza. Lui conosceva bene le mie difficoltà, ma mi rinfacciava spesso di dover pagare le cene al ristorante a me e a Leon. Io sentivo di vivere in una dimensione binaria: da una parte capivo razionalmente che, da uomo ricco qual era, il fatto che gli pesasse offrirmi una cena (e che non mancasse di sottolinearlo) era una dimostrazione di aridità. Dall'altra pensavo che avesse anche una parte di ragione. Io non ero mia madre. Io ero abituata a pensare a me, a provvedere alle mie esigenze e a quelle di Leon. Perché dovevo fare affidamento su di lui, anche solo per una cena? E quindi iniziarono a divorarmi i sensi di colpa, alternati da momenti di rabbia silenziosa quando mi mostrava cataloghi di barche o moto che gli sarebbe piaciuto acquistare mentre io, che dormivo accanto a lui tutte le notti, mi chiedevo se sarei riuscita a pagare l'asilo il mese successivo. Allora, per non sentirmi un peso, facevo cose che erano oltre le mie possibilità, compravo io biglietti aerei se andavamo a fare un weekend, cercavo di offrirgli qualche cena, pagavo la spesa per tutti. Perfino i suoi amati fiori da sistemare nel vaso sulla tavola, qualche volta. Un giorno arrivò a dirmi che avrei dovuto contribuire al suo mutuo di mille euro al mese, mi buttò lì: «Potresti almeno offrirti di pagare la metà». In pratica, mi considerava in subaffitto. L'unico problema che non avevo era quello dei regali. Lui, su precisa richiesta, non voleva mai niente perché aveva tutto e il superfluo lo innervosiva perché era qualcosa di nuovo che entrava in casa e nella sua casa ogni elemento di novità poteva alterare il suo ordine. Quello mentale, soprattutto.

Dunque, il giorno del suo compleanno, dopo essermi scervellata a lungo, mi venne in mente il regalo che più desiderava. E che non aveva. Mi infilai nella doccia a mosaico del bagno di casa con uno spazzolino da denti e l'anticalcare ed eliminai il suo incubo: pulii a una a una le fughe nere tra una microtessera e l'altra.

Se ne lamentava spesso, di quelle fughe nere, diceva che erano orrende, che gli davano un'idea di sporco, che aveva provato a eliminarle con scarsi risultati.

Io dovevo renderlo felice. Quella era la mia grande chance per dimostrargli che ero capace di occuparmi di lui, della casa, di noi.

Quando finii, dopo tre ore buone di lavoro senza sosta, misi un fiocco rosso sul piatto doccia. In effetti, non lo avevo mai visto così felice. E ancora oggi, se dovessi dire quale sia stato il momento in cui l'ho visto davvero fiero nella nostra relazione, citerei il giorno delle fughe nere.

Certo, se ci penso, se penso a me in ginocchio col Viakal e uno spazzolino da denti nella convinzione che grazie a quello che stavo facendo lui mi avrebbe amata di più, provo pena per me stessa. Per quei piedi a mollo nell'anticalcare, che rimasero irritati per un mese abbondante. Anche perché non solo con le fughe nere splendenti non mi conquistai l'amore di nessuno, ma perché quei dieci mesi in casa sua furono l'inizio della disgregazione di ogni mia certezza.

Scrooge resta Scrooge

L'infelicità mi trovò impreparata.

Arrivò veloce e furiosa come un'onda d'urto, senza consentirmi di mettere al riparo nulla.

Mentre cercavo ancora di metabolizzare l'atmosfera militaresca in cui ero immersa, il suo atteggiamento inaspettatamente autoritario e la cupezza di certe giornate in cui non c'era spazio per un pensiero leggero, dal rimprovero lui passò al disprezzo.

Un disprezzo feroce, cattivo, che pareva arrivare da lontano, da conti in sospeso e vendette mai consumate. Ogni incomprensione prendeva una piega sproporzionata e insultante, ogni momento in cui avevo bisogno di conforto lui provava il gusto sadico dell'infierire, ogni volta che arrivava una buona notizia, lui doveva mettersi di traverso per guastarla. Nella fase conflittuale del mio divorzio, durata a dire il vero poco e vissuta mentre ero accanto a lui, non perdeva occasione per dare ragione al mio ex marito che neppure aveva mai visto. Io ero un'immatura, impreparata alla vita, incapace di gestire una casa, figuriamoci un matrimonio. Ero bella e corteggiata, e questo era qualcosa che lo infastidiva per ragioni estranee alla gelosia. O meglio, c'era anche quella (restituita con abbondanza), ma mentre io ero scioccamente gelosa perché tutte erano migliori di me e sarei stata abbandonata, lui non sopportava che piacessi agli uomini perché quello luminoso, quello da ammirare, per cui sfregarsi gli occhi dalla meraviglia era lui.

Quindi sì, piacevo, ero bella forse, ma «una bellezza da camionista». E me lo argomentava scomodando un concetto inedito, quello del «benaltrismo estetico», inventato per l'occasione: la bellezza elegante, raffinata, era ben altro. Le sue ex fidanzate, a suo dire, erano tutte molto diverse da me, molto sofisticate. Meno vistose, magari, ma con un fascino più intrigante. Finalmente veniva allo scoperto. Ora sapevo che il suo mostrarmi fin dal primo giorno i suoi splendidi trofei, era propedeutico a questa seconda fase, quella della spietatezza. Poi c'era il mio lavoro che detestava perché è vero, lui era quello ricco, vincente, idolatrato nel suo settore, ma io avevo uno straccio di notorietà, qualche soddisfazione in tv, un successo riconosciuto sul web e questo andava ridimensionato. Il paradosso era che la ragione per cui LUI aveva deciso di scrivermi la prima volta (una mia ospitata in un programma scemo della domenica), rappresentava a suo dire il problema. Il mio lavoro, ai tempi principalmente quello dell'ospite in tv, era poco serio. Sguazzavo nell'effimero, mentre lui rivoluzionava il mondo della comunicazione. Lui era un professionista riconosciuto da esperti del settore, io la sgallettata riconosciuta da qualche sfigato teledipendente per strada. Io mi occupavo di gossip e scemenze, lui spostava milioni di euro. Naturalmente, il mio lavoro non contava nulla, non aveva a che fare col suo mondo di persone serie, che si misuravano con questioni essenziali per l'evoluzione dell'umanità. Questo finché incidentalmente i nostri mondi non si incontravano. E allora diventavo quella che doveva fare un passo indietro, per lasciargli sgombro il palcoscenico.

Una vigilia di Halloween portai mio figlio in un negozio di maschere in centro. Leon ha sempre avuto la passione per mostri e horror, tanto che ancora oggi che di anni ne ha sedici, Halloween resta la sua festa preferita. Era la mia occasione per regalargli un giorno di spensieratezza in mezzo a tanta angoscia respirata in quella casa, l'avrei portato a una festa con altri bambini. Mentre la commessa ci mostrava i costumi più spaventosi del catalogo e il mio bambino li guardava a bocca aperta, convinto del fatto che avrebbe fatto nascondere tutti sotto al tavolo delle pizzette non appena arrivato alla festa, il mio telefono squillò. Era lui. Non feci in tempo a dire «Pronto» che sentii un «Ma che cazzo fai, deficienteee?». Fui investita da grida e insulti senza capire quale errore avessi commesso questa volta, dove avessi sbagliato, quale distrazione mi fosse costata così cara da rovinare tutto. Alla fine, concentrandomi sui pochi passaggi che non contenevano improperi, con le mani che tremavano e un bambino che continuava a indicarmi un costume da vampiro senza ricevere più alcuna attenzione, compresi cosa avevo fatto. Qualche giorno prima avevo scritto un articolo in cui sbeffeggiavo un po' un noto attore di fiction e cinepanettoni. Quell'attore se l'era presa parecchio, aveva chiamato la sua agenzia lamentandosi del mio scritto, la sua agenzia aveva saputo che ero fidanzata con lui e lui, che doveva lavorare a un progetto con questo attore, aveva ricevuto una telefonata dall'agenzia dell'attore permaloso. Qualcosa del tipo: "Dobbiamo lavorare insieme e la tua fidanzata scrive quelle cose sul nostro assistito?". Insomma, non contavo nulla, mi occupavo del nulla, facevo un lavoro da sfigata, ma quello che scrivevo aveva evidentemente il potere di interferire col suo lavoro. E il suo lavoro era sacro, come mi permettevo io di causargli un simile incidente diplomatico? Naturalmente non c'era modo di parlare della questione con toni normali o adulti. Io non avevo fatto il mio lavoro, io avevo

SBAGLIATO e dovevo essere punita. Non importava dove fossi e con chi (lui sapeva esattamente che quella mattina sarei andata con Leon a scegliere il vestito per Halloween), la sua furia doveva liberarsi, non poteva attendere. Non so neppure come riuscii a pagare e a uscire da quel negozio senza farmi notare da tutti, perché nascosta dai miei occhiali da sole iniziai a piangere soffocando i singhiozzi. Ero lì, con un costume da vampiro e un bambino improvvisamente cupo, mentre aspettavo un taxi e pensavo che non esistesse più un posto al mondo in cui sentirmi felice. Alla fine il suo lavoro andò in porto, ma io da quel momento vissi nel terrore di pestare il piede a qualcuno che poi potesse alzare il telefono e lamentarsi con lui. In fondo il suo lavoro era più importante del mio, dovevo accettarlo. Aveva ragione lui.

Quello che era successo, però, gli aveva fornito nuovi argomenti per umiliarmi.

Un giorno mi disse che dopo quello che era accaduto ad Halloween lui aveva capito di aver bisogno di una professionista accanto, di una donna «che lo valorizzasse». Disse proprio così, che lo valorizzasse. Insomma, non voleva una fidanzata, ma un accessorio. Un occhio di bue. Un bel taglio di capelli. «Me l'ha detto anche il mio amministratore delegato, avrei bisogno di una manager, di una direttrice di mostre o musei, di una imprenditrice seria accanto» aggiunse, tanto per suggerirmi l'idea che anche i suoi superiori mi trovassero inadatta a sedere al fianco di cotanto professionista.

In pratica, ero inadeguata in qualunque ruolo.

E il bello è che tutto questo, falso all'inizio, in poco tempo divenne incredibilmente vero.

Nel giro di pochi mesi ero annientata.

Soprattutto, avevo paura. Più vedevo le cose precipitare, più mi rifiutavo di accettare la realtà. Era una barca che stava affondando, con l'acqua ormai fino alla prua, ma anziché mettermi in salvo io rimanevo a bordo con un secchiello.

L'unica cosa che mi interessava era compiacerlo e non mi importava che il prezzo da pagare fosse la mia infelicità e, di riflesso, quella di mio figlio. Come accade in ogni dipendenza, dovevo avere la mia dose di lui, anche se ormai stavo bene un minuto, magari il tempo di un bacio, e poi male per due giorni. Perché con le droghe funziona così: a ogni buco, il senso di benessere ha una durata sempre inferiore. Tu però continui a bucarti, nell'illusione di provare ancora l'estasi della prima volta. È quella che qualcuno ha definito "speranza distruttiva": vivevo per pochi attimi di appagamento, in una quotidianità triste, mortificante.

La mia vita, a un certo punto, oscillava perciò tra lacrime rassegnate e momenti rabbiosi, in cui alzavo la testa. Le lacrime perché tutto mi stava sfuggendo di mano. Mio figlio trascorreva qualche fine settimana dal papà e quando lo andavo a prendere alla stazione mi metteva il muso, si attaccava ai pantaloni del padre, piagnucolava. Era sempre stato felice e mammone, non lo era più. Non diceva nulla perché aveva imparato precocemente che le parole feriscono o forse perché sapeva quale fosse il mio progetto di felicità e quanto, nei miei piani funesti, per la sua riuscita lo avessi investito di un ruolo di responsabilità, ma la sua comunicazione non verbale era chiara.

Ricordo quei viaggi in macchina dalla stazione a casa, al suo rientro, in cui cercavo disperatamente di fargli tornare il sorriso e ricordo pure che mi muoveva un unico scopo: non quello di alleggerire il momento a Leon, ma quello di non fornire al mio fidanzato un alibi per lasciarmi, un: "Tuo figlio non è felice, non posso avere in casa un bambino ingrato, non possiamo stare insieme".

Il lavoro era un disastro. La sua operazione di intaccamento costante della mia autostima mi aveva convinta di meritare al massimo qualche salottino trash in tv e quello mi bastava. Tra l'altro, facevo male anche quello, perché arrivavo sempre negli studi dopo notti insonni, liti furiose, con gli occhi gonfi. Fui presa come opinionista in un programma musicale, una delle cose più nobili che mi capitò in quel periodo. Feci un mezzo disastro. Ci sono delle foto d'archivio di quello show, quando mi capita di vederle scorgo – solo io – le ombre delle notti insonni sotto gli occhi, l'aria malinconica di chi non vedeva l'ora di finire quello strazio per tornare a casa da lui, che forse nel frattempo aveva preso decisioni irrevocabili. Un giorno un'autrice mi rimproverò: «Al prossimo ritardo puoi rimanere direttamente a casa», e aveva ragione. Non mi importava nulla di quello che commentavo. Nulla. Non mi divertivo, non ero a mio agio, ma ormai pensavo fosse l'unico vestito giusto per me. Non scrivevo quasi più, non avevo nessuna lucidità mentale per farlo e comunque non avevo le risorse emotive per dedicarmi a qualunque attività che richiedesse un seppur breve distacco mentale dalla mia relazione. Il mio era un pensiero fisso e l'orizzonte davanti a me era olio su tela. Immutato. Come già accennato, guadagnavo qualche centinaio di euro al mese, ma questo, anziché suggerire un appoggio materiale e mentale, era un ulteriore pretesto per farmi sentire inadeguata. In una coppia sana, una situazione come la nostra avrebbe generato complicità, nel nostro caso era una ghiotta occasione per sottolineare la disparità. Di posizione, di successi, di realizzazione, di approvazione.

A questo punto della storia, le domande iniziali erano cadute. Avevo smesso di chiedermi il perché di molte accuse e di fornire alibi alla sua costante ferocia nel giudicarmi. Sapevo che tutto quello che vivevo era ingiusto. E questo è un passaggio fondamentale, che rappresenta una tappa comune in tutte le dipendenze: da un certo momento in poi si conosce la verità. La parte razionale di sé la illumina con chiarezza. Semplicemente, non ci si può opporre alla sua forza contraria. Io sapevo che ero stata vittima di un abbaglio, che non avrebbe mantenuto le promesse da me percepite nella fase dell'idillio, che dovevo scappare da quel vortice di sovrumana sofferenza, ma ero incatenata. Mi sentivo vittima di una specie di sortilegio, di una pratica divinatoria maligna, in cui agivo all'opposto di ciò che mi suggeriva la mente. Tutto ciò mi provocava una frustrazione enorme, ero precipitata in uno stato di regressione infantile in cui senza che il mio bisogno primario (lui) fosse soddisfatto, mi sentivo smarrita. Ero preda di una sindrome abbandonica invalidante e ossessiva. Se tardava a chiamarmi pochi minuti andavo nel panico. Se doveva fermarsi un'ora in più al lavoro era senz'altro per rimandare il più possibile il momento in cui ci saremmo rivisti, se doveva partire per lavoro si sarebbe dimenticato di me, se nella sua azienda arrivava una nuova collega, era più attraente di me. Intendiamoci, non tutte le mie paure si sono poi rivelate infondate, ma se è vero che molte delle cose che avevo temuto sono poi successe è perché la mia relazione non poteva che andare in quella direzione. E dunque diventai vittima dei tanti mostri che presero forma nella mia testa e che a loro volta alimentarono discussioni sfinenti, talvolta lunghe tutta la notte, in cui i toni delle accuse reciproche si alzavano di giorno in giorno senza misura, senza amor proprio, senza dignità. Terminata quella della mortificazione silente, entrai nella fase acuta delle recriminazioni.

Diventai lagnosa e rabbiosa. Lo accusavo di svilirmi, di avermi ingannata presentandosi con un biglietto da visita scintillante, di essere anaffettivo, narcisista, egoista. Urlavo che Scrooge era rimasto Scrooge, che era solo alla sua età non perché fosse stato sfortunato, ma perché lo aveva deciso. E che doveva accettare la sua indole, senza illudere nessuna donna di poter essere diverso, senza attribuire alle sue donne la colpa del fallimento, perché il fallimento era la sua incapacità di amare. Dicevo che la rabbia nei miei confronti era rabbia nei suoi, perché ancora una volta aveva ingannato se stesso e la prima poveraccia che gli era capitata a tiro. Lui mi restituiva questa acredine con gli interessi. Mi diceva che mi odiava. Gli dicevo che lo odiavo. Poi però il messaggio che gli mandavo era ambiguo: *nonostante questo io ti amo. Resto qui. Perché io ho visto come sei quando ti lasci andare. Perché possiamo tornare lì, insieme, in quel luogo di felicità dei primi giorni, riacciuffare quello che è andato smarrito. Perché il nostro amore può farcela.*

E lui, alla fine, da questa mia ambigua incoerenza, ricavava sempre più potere, sempre più autostima, sempre più arroganza.

In fondo, eravamo due dipendenti, complici e malati in un rapporto malsano dove ero senz'altro soccombente, ma in cui nessuno era felice. Neppure lui.

Se muoio non fa niente

La relazione smise di essere solo malata e divenne anche pericolosa. Pericolosa, sì. Quello che succede in quasi tutte le storie di dipendenze è che la morte, da un certo momento in poi, diventa un'opzione accettabile. In tutte le dipendenze, compresa quella affettiva. L'asticella della paura di perdere l'altro, quando si entra nella fase della "speranza distruttiva", si alza così tanto che per allontanarla da sé si è disposti a tutto. Ho parlato con decine di persone che hanno vissuto un'esperienza simile alla mia e tutte, senza neppure conoscersi, a metà del racconto, pronunciavano la parola «morte». Tutte. «Ho rischiato di morire», «Sono quasi morta», «Pensavo sarei morto», «Volevo morire», «Mi ha quasi ucciso». Nella fase di disperazione più acuta, si smarrisce il senso del pericolo, non si è più in sé, anche perché arriva il momento in cui ci si rende conto che per quanto ci si sforzi di essere ciò che l'altro vuole non si sarà mai abbastanza.

Quando mi accorsi che non sapevo stare né con lui né senza di lui, che non c'era più un luogo sicuro in cui rifugiarmi, persi anche l'ultimo straccio di lucidità che avevo e lì iniziai a rendermi pericolosa, soprattutto per me stessa. Guidavo male, piangendo, facendo continuamente piccoli incidenti. Ero sempre stanca, in uno stato confusionale, appesa ai suoi amori e a una sua decisione funesta che sentivo tanto inevitabile quanto imminente. Prendevo decisioni avventate, mangiavo poco e in maniera disordinata, smisi di pagare le tasse, di occuparmi di qualunque incombenza burocratica, diventai inaffidabile con i pochi amici che avevo e ai quali i primi tempi non raccontavo quasi niente, perché era complicato spiegare quanto non fossi in grado di liberarmi di ciò che mi stava intossicando. Perché non avrebbero capito e perché non volevo che scoprissero l'altra faccia di lui, sempre così posato ed elegante in pubblico, capace di essere con gli altri quello che era stato con me agli esordi. Pensavo che non sarei stata creduta e che, in ogni caso, se qualcuno mi avesse creduta mi avrebbe preso per pazza: cosa ci facevo ancora lì? Cosa mi tratteneva? E soprattutto: davvero sei così imprudente ed egoista da non mettere tuo figlio in salvo da una convivenza così velenosa? Queste erano le domande che temevo. I giudizi su di me come madre erano quelli che mi atterrivano di più. Insomma, mi vergognavo della mia stupidità e della mia avventatezza.

In questo delirio autolesionistico, durante una delle quotidiane discussioni che avevo con lui per una qualche banalità, una notte finii con una mano dentro una delle nicchie di casa sua, nella quale c'era una collezione di bicchieri. Mi tagliai la mano. Un taglio lungo e profondo, che non smetteva di sanguinare. Andammo di corsa al pronto soccorso svegliando Leon e inventando che ero inciampata sul filo del computer. All'ospedale mi chiesero come si fossero svolti i fatti. Un bambino tirato giù dal letto nel cuore della notte, io con un'aria catatonica, senza alcuna voglia di mentire ma costretta a farlo dalla vergogna, lui che spiccicava poche parole e fingeva di occuparsi di Leon. «Sono inciampata nel filo del computer.» Non credettero a una parola della mia versione. Ricordo ancora lo sguardo severo della dottoressa che mi mise i punti. Scrutava la nostra freddezza, i miei occhi rossi e nei suoi leggevo lo stesso giudizio che riconoscevo nello sguardo di chiunque incontrassi in quei mesi. Uno sguardo colmo di compatimento. Tredici punti sul palmo della mano, proprio sotto il pollice, di cui conservo una brutta cicatrice. Ma non fu tutto. L'evento più assurdo di quella notte doveva ancora accadere. La dottoressa mi fece fare una lastra alla mano per accertarsi che non ci fossero vetri all'interno o altri problemi. Dopo che mi ricucì, in un silenzio gelido, senza alcuna parola consolatoria di lui, che mi era accanto, ci mostrò la lastra. Disse che andava tutto bene. Io annuii, ancora affranta. Leon dormiva su due sedie lì accanto. Il peggio era passato. Fu in quell'istante che lui, dopo aver chiesto di poterla guardare meglio, fece una richiesta imprevista: «Ha un'estetica pazzesca questa lastra, con la mano così, aperta. Può lasciarmela che vorrei farla incorniciare e appenderla magari in casa o in ufficio?». In effetti era in bianco e nero, non andava a disturbare l'equilibrio cromatico del loft.

La dottoressa lo guardò attonita. Io non potevo credere a quello che avevo sentito e, penso, neanche lei. Le conseguenze del malefico cortocircuito in cui eravamo sprofondati quella notte per lui erano un trofeo, un ricordo da appendere al muro. La dottoressa gli sfilò la lastra dalla mano. «La lastra non può uscire dall'ospedale, e comunque non è pensata per fare arredamento» commentò con freddezza. Tornammo a casa senza più pronunciare una parola. Io ero affranta, lui indifferente. La mattina dopo sarei dovuta partire per Roma, avevo il mio programma domenicale. Chiamai gli autori dicendo che ero malata. «Non sei una persona affidabile, fossi in loro non ti chiamerei più» fu il suo commento. Non ebbi la forza di litigare, ma sentii un rancore mai provato. Capii che quello che stavamo vivendo era pericoloso e che nessuno dei due aveva intenzione di mettersi in salvo. Io perché non ne ero capace, lui perché non si accorgeva neppure della gravità della situazione. A questo punto della storia desidererei raccontare il passaggio in cui mi sono risvegliata e ho deciso che non potevo permettermi il lusso di rischiare ancora una volta di farmi male, di tamponare un'altra automobile, di attraversare la strada in stato confusionale, di litigare perdendo il controllo. E invece no. Il peggio doveva ancora venire, e io gli correvo incontro a braccia aperte.

La tazza

Non furono quei tredici punti a convincerlo a mettere fine alla nostra storia.

Quelli, anzi, gli parvero esteticamente interessanti, nonostante avessero lasciato una brutta cicatrice sulla mia mano. Nel suo mondo algido di apparenze, lo convinse ciò che gli parve esteticamente imperdonabile.

Un giorno, quando eravamo ormai logorati da quella convivenza, io camminavo sul ballatoio del loft con una tazza di caffè lungo in mano. Era la mia festa personale, quando lui era assente: portare cibo e bevande fuori dalla cucina, luogo da cui secondo il suo vangelo domestico tutto ciò che si poteva versare o sbriciolare non doveva uscire.

Stava tornando da un viaggio di lavoro durato un paio di giorni, in quel momento era in aereo. Non so come, quella tazza mi cadde dalle mani, precipitando giù, al piano terra. Centrò in pieno il rettangolo di vetro nel parquet, quello che lasciava intravedere la piscina nel seminterrato. Di quei dieci metri quadri di pavimento, andai a colpire proprio quella porzione minuscola di vetro, che si scheggiò all'istante. Non solo. Il caffè finì a spruzzo sulle pareti bianche e su un quadro d'arte moderna che aveva acquistato da poco. Un quadro che non mi piaceva neanche un po', ma sull'acquisto del quale ovviamente non avevo avuto alcuna voce in capitolo. Si potrebbe scomodare l'inconscio e sospettare che la mia psiche cercasse i suoi escamotage per ribellarsi al rigore mortifero di quella casa, ma ancora oggi faccio fatica a credere che una parte di me, anche la più autonoma e subliminale, abbia davvero voluto che la tazza cadesse.

Fui assalita da un terrore innaturale. Quello per me non era un incidente. Era uno sbaglio. Non ero stata sbadata. Ero stata imperfetta. Provavo a immaginare le conseguenze del mio gesto, ma temevo che qualsiasi ipotesi fosse troppo ottimistica. Cominciai a passare la spugnetta sul quadro, facendo attenzione a non danneggiarlo, e poi sui muri, cercando di non lasciare aloni e di non grattare via la vernice. Potevo cercare di nascondere tutto, e in parte ci stavo riuscendo, ma il vetro sul pavimento era inequivocabilmente scheggiato e nessuno me lo avrebbe sostituito in due ore, che più o meno era il tempo che mancava al suo ritorno a casa. Mi sentivo come un bambino che sa che il papà è andato a parlare con i professori e che rientrerà informato del cattivo voto in storia, con quell'ansia di vedere la porta che si spalanca e poi l'espressione giudicante di chi sta per sgridarti. Solo che avevo trentacinque anni e un figlio. Per difendermi feci una cosa goffa. Scrissi un post su Facebook in cui gli raccontavo l'accaduto cercando di rendere comico quel succedersi di fatti sventurati: il vetro, il quadro, il ballatoio, la tazza che centra proprio quei dieci centimetri di vetro su dieci metri quadri di pavimento di legno. Provai a farglielo sapere prima, senza affrontarlo direttamente, per dargli il tempo di sbollire e magari di sorriderne. Mi telefonò una mezz'ora dopo l'atterraggio. Mi disse solo: «Cancella quel post, mi fai passare per un pazzo. Ci vediamo a casa». In realtà avevo pochissimi amici su Facebook e una pagina privata, ma lui si preoccupava di proteggere la sua immagine di professionista pacato e gentile. Cancellai il post, pentendomi di aver aperto il paracadute dell'ironia. Era evidente che mi sarei schiantata lo stesso, perché avevo sbagliato sul terreno dove lui era più suscettibile: la casa. Non avevo chance di sopravvivenza. Forse mi avrebbe perdonato con più facilità un tradimento, purché non pubblico. Purché consumato senza scalfire la sua immagine. Mentre attendevo il suo rientro con la morte nel cuore, pensavo a quanto fosse illogico vivere nel terrore di sbagliare. A quanto fosse tutto profondamente sbagliato e distruttivo. Alla costante grettezza di cui era vittima chiunque inciampasse nella sua versione più onesta, non quella artefatta del lavoro e delle occasioni pubbliche.

Pensai alla donna delle pulizie romena – una signora buona e di poche parole – che giorni prima gli aveva lasciato il solito biglietto con le ore da pagarle. Lui lo aveva controllato e ricontrollato, lo guardavo appuntare cifre a matita e verificare sul calendario i giorni in cui era venuta in casa per fare i lavori più impegnativi, quelli che io ovviamente non ero in grado di assolvere perché inetta e sbadata. Alla fine, era arrivato a una agghiacciante verità: la signora aveva calcolato tre euro in più. Voleva chiaramente derubarlo. Io osservai che non era il caso di stare a contestare la cifra, che per lui quei tre miseri euro erano niente, per lei forse significavano qualcosa. Non ci fu verso. Le lasciò la cifra esatta sul comodino, lamentandosi dell'imprecisione in eccesso con un breve appunto lasciato sul comò. Quando fui sola in casa, prima che arrivasse la donna delle pulizie, aggiunsi i tre euro. Buttai quel bigliettino. Non meritava le mie stesse mortificazioni.

Alla fine, il quadro riuscii a pulirlo abbastanza bene. Era già di base un'accozzaglia di macchie grigie e nere, il caffè lungo annacquato si era mimetizzato con successo. Sulle pareti erano rimasti parecchi aloni e, ahimè, la sua gomma magica, sulla superficie ancora umida, si era rivelata mortalmente fallibile. Il vetro era scheggiato e non possedendo in casa un forno in materiale refrattario per fondere silice, soda e calcio, non ero in grado di fabbricarne una lastra sul momento. Ero certa che me lo avrebbe rimproverato, quindi giurai a me stessa che mi sarei attrezzata per il futuro. Non potevo più farmi cogliere impreparata. Arrivò il momento. Sentii le chiavi nella toppa. Dodici teste di cuoio che sfondavano la finestra in cerca dell'arsenale dell'Isis mi avrebbero fatto meno paura. Varcò la soglia senza neppure dirmi ciao. Si diresse dritto verso la porzione di pavimento scheggiata, controllò ogni angolo della casa in cerca di danni non dichiarati. Al solito, mi rimproverò del fatto che non fossi capace di badare alla casa mentre non c'era, mi disse che avrebbe dovuto far cambiare il vetro e chissà quanto sarebbe costato, balbettavo che l'avrei pagato io ma sapevo perfettamente di non potermelo permettere. Particolare che lui, per giunta, non mancò di farmi notare. Fu una discussione gretta, da cui io tanto per cambiare mi ritirai piangendo. E senza la minima intenzione di lasciarlo, come sempre. Anzi, ero terrorizzata. Sapevo che quell'incidente aveva una buona probabilità di diventare il pretesto perfetto per smettere definitivamente di volermi in casa sua: io – quella casa – non me la meritavo. Non mi meritavo niente. Non valevo niente. Era ora, per lui, di togliersi quel fastidio di torno. Anzi, quei due fastidi di torno: io e mio figlio. Quella sera inviai un sms al mio amico Ivan, a cui avevo accennato qualcosa sulla follia in cui ero finita: «Se mi succede qualcosa, sai perché». Non sapevo neppure io cosa significasse quel "qualcosa", ma ormai ero consapevole del fatto che non mi stavo solo rovinando la vita, ma avrei potuto anche metterla a repentaglio. In fondo, un incidente sarebbe stato il pretesto perché lui si occupasse di me, finalmente. Se fossi stata male, non avrebbe potuto lasciarmi, sarebbe stato troppo crudele. Avrebbe posticipato il momento, almeno per educazione. E poi, insomma, non mi veniva in mente una condizione fisica e psicologica peggiore di quella che stavo attraversando, non mi spaventava nulla. Se muoio non fa niente, pensavo.

La droga è finita

E così accadde che una mattina tornò a casa senza annunciarsi, all'ora di pranzo, mentre mio figlio era all'asilo.

Mi aspettavo che mi lasciasse, ma ero convinta che almeno nell'addio mi avrebbe riservato qualche premura. Lui era in piedi, io ero seduta sul letto, come un paziente che attende una diagnosi infausta. Come quella volta in cui dissi ai miei genitori che nessuno mi avrebbe mai più amata, dopo che il fidanzato del liceo mi aveva lasciata. Con la freddezza del chirurgo, mi comunicò che dovevamo prenderci una pausa perché lui si sentiva soffocare e aveva bisogno di tornare a respirare nei suoi spazi. Mimava ripetutamente il gesto di chi non ha abbastanza aria, avvicinava e allontanava il palmo della mano dalla bocca, evitando di incrociare il mio sguardo. Mi sentii perduta. Il mio rancore degli ultimi mesi era svanito, ero tornata mite e remissiva come i primi tempi. Balbettai qualcosa su quanto avremmo potuto impegnarci di più per far funzionare le cose, su come avremmo potuto lavorare su di noi, su quanto era importante per Leon (!) avere stabilità dopo la mia separazione e il trasferimento. Mentii su tutto pur di tentare di recuperare la situazione. Lui era irremovibile. Non alzava i toni come al solito, non mi insultava. Ripeteva che la nostra storia lo faceva vivere male, che rendeva meno sul lavoro, che da quando ero arrivata a Milano sentiva un alone grigio, cupo sulla sua vita. Mi vidi spacciata. Nessuna falsa promessa, nessuna bugia pietosa lo avrebbero dissuaso. Si stava materializzando la mia più grande paura, quella da cui ero scappata da tutta la vita: l'abbandono. Le mie anticipazioni di minacce future, gli scenari luttuosi a lungo rimuginati erano tutti lì, in fila davanti a me. Le mie profezie autoavveranti avevano lavorato bene. Tornai bambina, toccando l'ultimo stadio di quella regressione infantile in cui ero scivolata da mesi e finii per rendermi sciocca e ridicola. Mi inginocchiai, implorando la sua elemosina. Feci qualcosa di così insultante per la mia dignità che faccio ancora fatica a definirlo con il termine esatto, che forse non è neppure "inginocchiarsi", è "strisciare". Sì, strisciare, perché io mi attaccavo a lui, inginocchiata, come i mendicanti, come quei condannati che implorano clemenza al boia, e lui si spostava con fastidio, strattonandomi. Ero una drogata che supplicava il suo pusher, durante la peggiore crisi di astinenza mai provata. E lui mi stava togliendo la dose, mi stava dicendo che la droga era finita. Non aveva alcuna compassione. «Devi andartene da casa mia, io stasera voglio tornare dal lavoro e ricominciare a vivere la mia casa da solo, rivoglio la mia serenità.» Ero in una città semisconosciuta, con un bambino piccolo, in uno stato psicologico disastroso e con poche risorse economiche, ma non gli importava. Mi stava chiedendo di trovarmi un'altra sistemazione in poche ore. Non poteva salvare entrambi, in quel momento, e stava sacrificando me. E per quanto potessi odiarlo, nonostante la scarsa umanità dell'ultimatum, la verità è che lui aveva preso la decisione giusta. Lo aveva fatto con un coraggio che io non avrei mai avuto. Quello che non potevo sapere è che non aveva alcuna intenzione o forse capacità di liberarsi di me. Semplicemente, voleva gestirmi in maniera tale da concedere a se stesso tregue e vacanze da quella che in fondo, seppure nel ruolo del carnefice, era una dipendenza anche per lui. Per me non c'era nulla oltre lui, per lui non c'era nulla oltre se stesso. Nel mezzo, quella speranza distruttiva di riuscire a incontrarci da qualche parte.

Doppifondi

Ero sola, per la prima volta dai miei diciotto anni. Più della metà della mia vita era trascorsa accanto a qualcuno, adesso avrei dovuto prendermi cura di me, di mio figlio, senza appigli e rassicurazioni. Ero nel panico. Nel fare la valigia, subito dopo l'ultimatum, mi ero resa conto di quante poche cose mie avessi portato in quella casa. In un trolley di medie dimensioni e qualche busta era entrato quasi tutto quello che io e Leon possedevamo nella nuova vita milanese. Attraversai il cortile del prestigioso condominio del centro e mi incamminai senza una direzione. Non avevo destinazioni geografiche e mentali. Ero una sfollata che lasciava un luogo di guerra, con un trauma vivido e la con-

fusione di chi annaspa nel presente e non imma-
gina un futuro. Vorrei dire che quel giorno toccai
il fondo, ma nelle storie di dipendenze affettive i
barili hanno anche un gran numero di doppifondi
che si scoprono lentamente.

Di sicuro, quello in cui dovetti cercarmi una
casa in poche ore fu uno dei momenti più ango-
scianti e concitati. A metà pomeriggio sarei andata
a prendere mio figlio a scuola e non volevo por-
tarlo in un hotel, a Milano. Questa era la città in
cui vivevamo, non eravamo turisti, avevo paura di
confonderlo più di quanto stessi già facendo. Ero
così disperata che per la prima volta chiesi aiuto, un aiuto concreto, alle mie amiche. Le amiche
che avevo quasi smesso di frequentare per non
dover mentire sulla mia dipendenza. Mi serviva
un appartamento e mi serviva subito. Justine mi
spiegò che aveva appena venduto la sua casa in
zona Fiera. Caso vuole che avesse fatto il rogito
quel giorno ma conservava ancora un mazzo di
chiavi. Lei era in tournée con una compagnia tea-
trale ma a Milano c'era suo marito, avrebbe potuto consegnarmele lui. «Hai però due problemi:

il primo è che la casa è vuota, ci sono solo una rete matrimoniale con un materasso e una piccola tv in salotto. Il secondo è che non penso accadrà, ma il proprietario di casa non sono più io da oggi e quello vero potrebbe palesarsi, ha le chiavi. È un'ipotesi remota quella che lo faccia oggi ma io devo avvisarti.»

Tecnicamente, in effetti, quella casetta in via Paolo Uccello, davanti a un bel campo di calcetto illuminato anche di notte, non era più sua. Dovevo sperare che non arrivasse il nuovo inquilino proprio quella sera. Io, che già mi vedevo tipo Will Smith nella *Ricerca della felicità* a elemosinare un posto letto in uno stanzone dietro la stazione con quindici curdi, le dissi che andava benissimo. Che avrei dormito lì e in quarantotto ore massimo avrei trovato casa.

Io e Leon, con le buste riempite di vestiti nel bagagliaio, arrivammo davanti a quella palazzina bassa in zona Fiera che era quasi buio. Sentivo le urla dei ragazzi che giocavano a calcetto, l'aria tiepida della primavera che si stava per affacciare, una debolezza diffusa dovuta sì alla tensione, ma soprattutto a un digiuno prolungato e malsano. Non riuscivo a mangiare da giorni, il presagio di quello che stava per accadere mi aveva tolto ogni stimolo, compreso quello della fame. Misi in mano a mio figlio le chiavi della nostra casa temporanea e afferrai il trolley azzurro, assieme ad alcune buste. Leon, che aveva compiuto da un paio di mesi quattro anni, mi seguiva in silenzio, con la testa bassa, vestito con una camicetta elegante, come al funerale di un genitore. Percorremmo la via a piedi, arrivammo al civico che Justine mi aveva indicato.

«Leon, dammi le chiavi.»

«Non ho chiavi, mamma!»

«Come sarebbe a dire che non hai le chiavi? Te le ho date due minuti fa.»

«No, mamma.»

«Leon, tira fuori le chiavi!»

«Ma io non le ho!»

Lanciai le buste per terra. Il trolley si ribaltò, cadendo dal lato sbagliato, con le ruote che giravano impazzite per lo sbalzo improvviso. Cominciai a perquisirlo nervosamente, strattonandolo, sfilandogli la giacca, controllando che le tasche non fossero bucate. Lo toccavo istericamente, incapace di mimetizzare l'ira, senza preoccuparmi di spaventarlo. Le chiavi non c'erano.

Mi salì addosso tutta la disperazione della giornata, lui che mi diceva è finita, l'incontro imbarazzante con il marito di Justine per prendere le chiavi di una casa venduta a chissà chi, lo sforzo di simulare normalità con mio figlio, l'ansia di non sapere dove sarei andata il giorno dopo. Mi accasciai sul primo gradino del palazzo, davanti a un ingresso che non sapevo come aprire. Cominciai a piangere, vomitando con rabbia qualcosa tipo: «Stanotte dormiremo in macchina!», «Siamo rovinati!», «Siamo finiti in mezzo a una strada, letteralmente!», «La mia vita fa schifo, sono una fallita!». Leon mi fissava esterrefatto. Mi aveva già vista arrabbiata, ma mai con lui. Raramente davanti a lui. Mi aveva sentita mentire così tante volte sulla mia infelicità che quella verità improvvisa lo pietrificava. Era immobile, impaurito e frastornato.

«Ma io… Ma io…» balbettò sul punto di scoppiare in lacrime.

Mi uscì una cattiveria: «Ed è tutta colpa tua che non sei neanche capace di tenere un mazzo di chiavi in mano!». Incolpai, vigliaccamente, un bambino di quattro anni di tutti i miei casini. Leon iniziò a piangere. Lo fece tentando di non disturbarmi troppo, trattenendo i singhiozzi il più possibile, di tanto in tanto tirava su il colletto della camicetta per asciugarsi le guance paffute. Alzai lo sguardo e vidi un adulto di quattro anni che fissava una bambina di trentacinque. Pensai a quante volte lo avevo usato come scudo, come alibi, come strumento per avere più amore in cambio. Ma anche a quanto, in fondo, ero stata ostinata nel cercare di riparare gli errori con lui, ogni volta che ne avevo commessi. A quanto lo avessi precocemente responsabilizzato, ma anche a quanto mi fossi sforzata di tenermi in piedi per riuscire a essere lucida quando c'era una festa di compleanno o un parco giochi da visitare o un Gormita in edicola da comprare. Mio figlio, in quell'anno buio, aveva raddoppiato la mia fatica ma, allo stesso tempo, mi aveva costretta a mantenere un seppur flebile contatto con la realtà. Senza di lui e il dovere imprescindibile di occuparmene, certe mattine non mi sarei neppure alzata dal letto. Lo amavo di un amore irrinunciabile, a cui avrei dovuto rinunciare, finché non mi fossi liberata della mia dipendenza, ma non fui così saggia da farlo.

Allora provai a riemergere. Mi calmai. «Ehi, Leon, adesso calmiamoci. Scusa per quello che ho detto, non è colpa tua.» Gli presi la mano. «Magari le chiavi ti sono cadute, andiamo a vedere?» Leon mi aiutò diligente a cercarle, stringendo a sé il suo inseparabile Godzilla. Le chiavi erano lì, sull'asfalto, a pochi metri dalla macchina. Lo vidi sollevato: era tornato adulto.

Quella sera dormimmo nella casa più vuota che io abbia mai visto. In compenso, l'idea di guardare la tv in salotto sdraiandosi per terra divertì tantissimo Leon. Gli sembrava una specie di avventura, di fuoripista divertente nel grigiore della nostra vita nell'altra casa. Non mi domandò neppure cosa ci facessimo lì e io ho rimosso il ricordo della scusa che mi inventai.

Rimasi tutta la notte con gli occhi spalancati pensando che il proprietario di casa sarebbe arrivato da un momento all'altro con una plafoniera in mano e avrebbe chiamato i carabinieri dicendo che due disperati gli avevano occupato casa.

Il giorno dopo Leon andò a stare due giorni dal padre e mi diedi quarantotto ore per accoglierlo, al suo ritorno, nella nostra nuova casa. La prima sera senza di lui e senza Leon ero così frastornata dalla paura della solitudine che mi convinsi a uscire, anche perché, senza mio figlio, starmene sdraiata sul pavimento a guardare la tv in un salotto vuoto sarebbe stato meno eccitante. C'è una foto sul web che mi scattò un fotografo all'evento a cui partecipai quella sera, un evento di una certa inutilità che si chiamava AngelDevil. Si trova ancora, googlando. Indosso un vestito nero molto corto, delle scarpe gialle non indimenticabili e sono insolitamente magra. Non mangiavo da almeno due giorni. Sembra che sorrida, ma erano i primi giorni dell'astinenza e stavo malissimo. Ho gli occhi stanchi, malinconici. Fu solo la prima delle tante sere, da quel momento in poi, in cui scelsi di non affrontare il dolore e di provare a stordirmi, di uscire, vedere persone e fingere che ci fosse una vita di occasioni da acchiappare, non potevo certo piangermi addosso. Non fu una buona idea e non avrebbe funzionato, ma questo l'avrei scoperto qualche anno dopo.

Quella notte, dopo la festa, non dormii. Ero ancora nella casa di Justine che non era più di Justine, con l'angoscia di vedere albeggiare e di un'altra giornata lunghissima da affrontare. Chiamai Giusy, l'amica che più di tutte in quel periodo mi fu accanto con onestà, senza mai assolvermi del tutto. Un suo amico aveva una casa in zona Portello che si era appena liberata, proprio accanto a un centro commerciale all'aperto che mi piaceva molto. Era vicina all'asilo di Leon e aveva un prezzo accettabile per il mercato immobiliare milanese. Insomma, mi pareva un colpo di fortuna troppo grosso perché potesse filare tutto liscio.

E invece il giorno stesso la casa al Portello fu mia.

Leon tornò da me la domenica sera e io gli mostrai fiera quello che gli mancava da troppo tempo: una cameretta. Era una stanza piccola, scialba, con il lettino appoggiato a un muro e la scrivania Ikea più economica del catalogo, credo, ma ero riuscita ad abbellirla un po', avevo attaccato al muro degli sticker di *Cars* e di altri cartoni che gli piacevano. «Ehi, Leon, guarda un po' cosa c'è dietro la porta» gli dissi quando ci mise piede per la prima volta, quella sera. Ero riuscita a trovare un enorme poster di *Godzilla* in un negozio di fumetti e manga giapponesi sui Navigli. «Nooo, mamma, ma dove l'hai preso?» Lo vidi di nuovo bambino, dopo troppo tempo.

Astinenza

Era marzo e io non avevo più lui. Non avevo più la droga. Come un tossico che smette di farsi da un giorno all'altro, stavo male psicologicamente e fisicamente. Milano era un cimitero di ricordi. In quella città non ne avevo di precedenti all'incontro con lui, ogni singolo ristorante, negozio, giardino, isolato mi ricordava qualcosa che avevamo fatto insieme. Lo cercavo, sempre. Ovunque andassi, mi guardavo intorno, nel traffico, nei locali affollati degli aperitivi, al parco la domenica. Speravo che il caso potesse essere il mio alleato silenzioso. Cercavo comunque di non passare mai nell'isolato in cui abitava, nonostante spesso mi trovassi a doverlo attraversare. Improvvisavo dei giri larghissimi, talvolta perdendomi, in una città che ancora non conoscevo bene e con cui dovevo fare pace dopo tanta guerra. Ogni tanto qualche amico comune mi diceva di averlo intravisto e io mi sentivo quasi svenire. Tornavo adolescente, chiedevo con chi fosse, dove, a che ora fosse andato via, come era vestito. Provavo un rancore profondo immaginandolo felice, sollevato dalla mia assenza, disinteressato della mia sorte. Soprattutto, ero incredula. Non potevo credere che avesse potuto tagliarmi la dose in quel modo così brutale, senza un ripensamento.

Nel frattempo, i giorni passavano e io mi rifiutavo mentalmente di andare a casa sua a prendere quel poco che di mio era rimasto. Se alcune mie cose erano ancora lì, significava che non era finita del tutto. Se lui mi lasciava le seconde chiavi e non me le richiedeva indietro, voleva dire che non era finita del tutto. Tre settimane dopo mi scrisse: «Qui arriva della posta per te, la affido al portiere. Se puoi tu lasciagli le chiavi che hai ancora, dopo aver preso le cose che hai lasciato in casa». Un messaggio asciutto, che gelava ogni speranza. La droga è finita. La droga è finita. La droga è finita. Questo era il messaggio che arrivava dritto alle mie sinapsi. E io mi sentivo addosso i sintomi fisici dell'astinenza: sensazioni improvvise di calore, tachicardia, ansia, nausea, inappetenza. La solita Giusy si offrì di accompagnarmi a casa di lui, per aiutarmi a portare via le ultime cose e a supportarmi moralmente. Il loft era come l'avevo lasciato, semibuio e immacolato, con i soliti fiori freschi sul tavolo ad abbellire una casa immutata. Radunai le poche cose che avevo, Giusy fece un giro per dare un'occhiata al loft. «Scusa ma davvero tuo figlio dormiva lì sotto?» mi domandò quando vide l'area relax nel seminterrato. Annuii, vergognandomene. «E se per salire, di notte mentre tu dormivi, si fosse messo a fare queste scale senza ringhiera da solo? Ma tu sei matta, fortuna che siete usciti da qui!» mi disse senza concedermi sconti, come suo solito. Non ebbi il coraggio di replicare che Leon l'aveva già fatto. Che aveva gattonato sulle scale fino a su, al ballatoio, per arrivare in camera mia. E soprattutto non ebbi il coraggio di dirle che nonostante tutto ero rimasta lì io ed era rimasta là sotto la sua "cameretta", anche dopo quell'episodio che mi aveva così spaventata. Si può confessare a qualcuno di aver avuto più paura di perdere un uomo che di rischiare che il proprio bambino cadesse dalle scale? Ve lo dico io: no. Neppure a un'amica meno intelligente e severa di Giusy. Non mentre si è ancora immersi nella dipendenza, almeno. Quella mattina, nella casa in cui avevo vissuto per dieci mesi, accadde anche un'altra cosa: lui aveva lasciato sul comodino un vecchio computer portatile. «Hai mai pensato che potesse avere un'altra e che ti abbia lasciato per questo?» mi domandò Giusy. Non lo avevo mai pensato. Nella nostra storia non c'era stato spazio, neppure mentale, per altri rapporti. Era stata così malata e impegnativa tra scenate e conflitti che nessuno dei due poteva aver avuto tempo ed energie per coltivare altre relazioni. «Io un'occhiata al suo computer la darei, magari scopri qualcosa che può aiutarti a inquadrarlo meglio per quello che è...» Aprii il suo computer. Non c'era alcuna password. La sua casella mail era aperta. Non ci volle molto per scoprire che non era molto diverso dalla per-

sona che avevo conosciuto, ma che era solo un po'
più meschino di quanto già sapessi: nessun tradimento. Mentre stava con me aveva però invia-
to una serie di mail a una ex fidanzata – l'ultima,
quella della foto sulla credenza all'ingresso – in cui
le diceva quanto sentisse la sua mancanza, quanto
non sapesse spiegarsi perché la loro relazione fosse
fallita, quanto lei fosse meravigliosa. In una mail
allegava una canzone, che tanto gli ricordava i momenti più belli trascorsi insieme. Lei, per ragioni
più che evidenti, non gli aveva mai risposto. Giusy
rimase sorpresa, io no. Trovai che questa scoperta
fosse perfettamente aderente alla sua personalità:
il suo narcisismo patologico rendeva per lui inac-
cettabile l'idea di essere dimenticato. Non credo
che gli importasse davvero di quella donna come
in fondo non gli era importato di me, non credo
ignorasse davvero il perché la loro storia fosse nau-
fragata. L'unico passaggio che davvero gli stava a
cuore era che lei non si dimenticasse di lui e che ne
conservasse l'idea romantica dell'uomo che sì, l'a-
veva lasciata, ma seppur da lontano continuava ad
amarla. In fondo, sperava di tenerla appesa il più a

lungo possibile, sperava di essere indimenticabile. Andai via da quella casa con Giusy che mi istigava alla vendetta: «Sfiliamogli i gradini di legno dal muro, tanto sono incastrati in una lastra di ferro. Glieli portiamo via così stasera torna a casa e non può salire in camera da letto» mi suggeriva la mia amica ridendo. Uscii da quella casa, consegnai le chiavi al portiere e anziché struggermi perché questa volta era davvero finita, me ne andai con uno strano sollievo: sapevo che mi avrebbe cercata. Lo avrebbe fatto anche con me. Non avrebbe permesso che lo dimenticassi.

E così fu. La riconsegna delle chiavi, credo, fu determinante: adesso ero a una distanza di sicurezza accettabile. Avevo dimostrato di aver accettato la sua decisione, avevo liberato i suoi spazi, non avevo più alcuna occasione di occuparli, se non autorizzata da lui. Aveva creato le condizioni per riprovarci, ma con nuove regole, meno asfissianti e con un'uscita laterale a portata di mano.

Dopo neanche un mese da quella decisione che sembrava irrevocabile mi scrisse che stava male, che era triste, che gli mancava Leon. Io pensai di aver superato la prova, di aver resistito un mese senza cercarlo dandogli modo di capire quanto mi amasse. E quanto io fossi forte e capace di vivere senza di lui. Ci incontrammo in un bar, davanti al parco Sempione. Lui pianse lacrime che parevano sincere. Io non ne avevo più e non avevo più motivo di piangere. Per un attimo parve che i ruoli si fossero invertiti, che io avessi guadagnato consapevolezza e distacco. Non era così. Non piangevo perché ero una tossica che aveva di nuovo la sua dose. Sentivo il mio corpo – sì, il mio corpo – inondato da una sensazione di benessere. Era come se ogni pezzo di me – scomposto e sciatto durante le settimane trascorse – avesse trovato un suo ordine quieto. Eravamo tornati insieme ma alle sue condizioni, solo che io non me ne ero neppure accorta.

Ricaduta

Adesso avevamo due case e la certezza che stare
lontani l'uno dall'altra fosse un supplizio peggiore
che stare insieme, seppur litigando. Mi raccontò
che in quel mese senza di me aveva vissuto in uno
stato catatonico, come un sopravvissuto a un grave incidente. Che tutti gli chiedevano cosa avesse,
che continuava a guardare e riguardare le foto di
Leon. Stava ricominciando con il *love bombing*,
in una versione più malinconica ma ugualmente
efficace, e io mi illudevo di ritrovare finalmente la
versione migliore di lui, quella dei primi giorni. Io
e Leon riprendemmo ad andare spesso a casa sua,
a dormire lì, lui veniva da me, stavamo cercando
il nostro nuovo equilibrio, finché lui – neppure un

mese dopo – mi comunicò di avere avuto un'importante offerta lavorativa. Una grande azienda internazionale di comunicazione gli offriva un posto da presidente. Avrebbe dovuto lavorare e viaggiare di più, raggiungere spesso le sedi estere, lo aspettava un compito di grande responsabilità, guadagnando quasi il doppio. La mia sindrome abbandonica ebbe un brusco risveglio: lui mi avrebbe abbandonata. Non avrebbe avuto più tempo per me. Non sarei stata all'altezza "del ruolo". Ormai pensavo a me stessa in funzione del ruolo che avevo accanto a lui, non ero in alcun modo capace di autodeterminarmi. E così, mentre io coltivavo i miei timori sui nuovi equilibri, lui coltivava i suoi dubbi su nuove esigenze di libertà. Iniziammo a discutere come prima e lui a offendermi per i motivi più banali. Io gli chiedevo perché mai mi avesse cercata di nuovo, lui rispondeva che aveva sbagliato. Allora io battevo in ritirata, mi facevo prendere dal terrore di perderlo e diventavo più mansueta. Decidemmo di partire per un viaggio in Messico, nella settimana di pausa prima del suo nuovo impegno lavorativo. Prenotai l'hotel mentre guardavamo insieme un film, nel suo letto. La mattina dopo tornai a casa mia per organizzare la partenza. Era quasi maggio, a Milano faceva già caldo e pensavo che avrei dovuto cercare i vestiti estivi per il Messico in garage, erano ancora buttati in qualche sacco. Poche ore dopo mi arrivò un suo messaggio: «Scusami ma non ho alcuna voglia di partire insieme per il Messico. Prima di questo nuovo impegno lavorativo devo rigenerarmi e non posso farlo con te. Sto andando dai miei genitori, ciao».

La droga era finita dopo neppure due mesi. Ero di nuovo una tossica in astinenza.

Defluvium capillorum

115 euro e 20 centesimi. Ricordo ancora lo scontrino della farmacia omeopatica nel quartiere cinese in cui andai a fare acquisti per cercare dei sostitutivi della mia droga. «I fiori di Bach offrono uno stimolo verso il cambiamento. Il loro fine principale è perciò quello di alleviare il disagio psicologico che sta alla base del sintomo fisico, in modo tale da ridurre anche quest'ultimo come diretta conseguenza. Essi non curano l'individuo, bensì lo aiutano ad accrescere la sua forza e la sua consapevolezza interiore. Esistono infatti trentotto tipi diversi di fiori e scegliere quello giusto per le proprie esigenze implica processi di autoanalisi e di profonda introspezione!» Mi ero lasciata con-

vincere. Sapevo di essere in uno stato di profonda afflizione, di essere vittima di qualcosa che non potevo controllare, ma faticavo ancora a dare un nome ai miei sintomi. Figuriamoci alla diagnosi. E senza quel nome – dipendenza – nella ricerca di un aiuto, brancolavo nel buio. Non ritenevo di aver bisogno di uno psicologo, di un supporto razionale al mio malessere. Ero in balia di una specie di sortilegio, per cui la medicina tradizionale mi pareva inadeguata. Comprai qualcosa come venti boccette di fiori di Bach. Ognuna era specifica per un disturbo: dallo stress al panico, all'angoscia, al senso di colpa e molto altro. Credo di avere scartato solo quella per bambini iperattivi e per le vampate in menopausa. Sentivo di avere tutto. Di soffrire di tutto. Sfiducia in se stessi? Ce l'ho. Apatia? Ce l'ho. Ansia? Ce l'ho. Preoccupazione? Ce l'ho. Paranoia? Ce l'ho. Ero sopraffatta dal dolore, che rispetto alla nostra prima separazione aveva la forma di un'astinenza più amara e lancinante. Avevo avuto l'opportunità di ricominciare e avevo fallito. Faceva più male della volta precedente. Entrai in casa con la mia busta carica di rimedi, e sistemai le boccette tutte in fila, sul tavolo della cucina. Dalla finestra entrava un sole ormai caldo, era uno di quei giorni di quasi estate in cui i milanesi scappano da Milano come da un luogo di guerra. Sapevo che per i fiori di Bach bisognava rispettare un dosaggio specifico, ma era evidente che una posologia standard, nel mio caso, non avrebbe funzionato. Ero un caso troppo grave. Presi un bicchiere e lo riempii di gocce versate a caso o in quantità maggiore quando si trattava di fiori che parevano più specifici per alcuni malesseri. Con il White Chestnut (indicato teoricamente per pensieri circolari, che non si riescono ad allontanare da sé) credo di aver riempito un bicchiere per birra alla spina. Mandai giù bicchieri colmi di niente e disperazione, in una specie di rituale ossimorico in cui cercavo guarigione simulando un avvelenamento. Sbagliavo dosaggio per ritornare in vita. Mi sdraiai sul divano attendendo che la morte mi abbandonasse, che un qualunque pensiero alternativo prendesse il posto di quello fisso, che avvenisse un accenno di miracolo. Anche solo un misero effetto placebo. Niente. Piansi lacrime che non si portavano via nulla, che non lavavano niente. Lasciavano solo spazio alle nuove. Riprovai, nei giorni successivi, con i giusti dosaggi, e avvenne solo un miglioramento significativo: tornai nella farmacia omeopatica, ma spesi la metà. Finché non capii che non sarei guarita neanche con Acque dei Chakra, gong e campane tibetane. Che mi stavo attaccando a qualsiasi ridicola promessa di guarigione dal mio male sconosciuto. In quel periodo mi sentii vicina a ogni debolezza umana, provai empatia per chi cade nella rete dei ciarlatani, dei maghi, dei truffatori, dei cartomanti tv e dei maestri di riti sciamanici. Fui fortunata a non incontrarne uno, perché in quel periodo un impostore più furbo degli altri mi avrebbe convinta a qualsiasi pratica, dai riti della luna piena alla reclusione nella capanna sudatoria. Ero debole e tormentata, con l'aggravante di non riuscire ad ascoltare il mio dolore. Di non riuscire a fermarmi, a sdraiarmi nello spazio triste della rassegnazione. Le amiche mi convincevano a uscire e io mi sforzavo di recitare la parte dell'animale sociale, di sfoggiare una tanto disinvolta quanto improbabile rinascita. Portavo con me Leon a cene e aperitivi, presenziavo a feste ed eventi, ero a inaugurazioni di qualunque cosa, dal nuovo show-room di capsule ecosostenibili al kebabbaro sotto casa. Qualsiasi pretesto per non ascoltare il silenzio della casa andava bene. E poi cominciavo a lasciarmi corteggiare, a cercare il mio riscatto, avevo urgenza di recuperare uno straccio di autostima. I fiori di Bach non avevano funzionato, quindi avevo capito una cosa: SE NON POTEVO GUARIRE, POTEVO STORDIRMI. Sembravo rifiorita, ma ero una rosa di plastica.

Ovviamente, ero a disagio ovunque. Costringevo Leon a maratone notturne durante le quali si addormentava su due sedie di paglia nei ristoranti, su divanetti con musica troppo alta in sottofondo e ovunque scegliessi di andare pur di non permettere al dolore di essere la musica più alta. Speravo di incontrare lui, sempre, ma non era poi vero che "è facile incontrarsi anche in una grande città".

Nel giro di poco, il mio corpo si allineò alla mente: iniziò a risentire di quella stanchezza a cui non davo tregua. Non me ne resi conto finché non iniziarono a cadermi i capelli. Li avevo lunghi e folti, non notai subito che ne rimanevano più del solito nella spazzola. Poi accadde che l'acqua della doccia non andava più giù, c'erano troppi capelli attorno al tappo. Mi sembrava che giorno dopo giorno si stessero accorciando, ma non li avevo tagliati. Pensai che si stessero un po' indebolendo, un normale effetto del cambio di stagione, succede. Nel giro di una decina di giorni mi ritrovai con la chioma svuotata, i capelli spezzati a metà. Cadevano a ciocche e in tale quantità che pensai di rimanere calva. Mi stava sfuggendo tutto, anche la bellezza. Quello che mi era successo (lo scoprii dopo, quando seppi dare un nome a tutte le cose che mi accaddero in quegli anni) aveva un nome preciso: *defluvium capillorum*. Capita, talvolta, a seguito di un trauma, per esempio un lutto. Stava capitando a me, e il morto ero io.

Il mio fisico, come spesso capita, stava provando a dirmi qualcosa. Per quanto io tentassi di rimuovere l'evento luttuoso, c'ero immersa dentro. A quel punto, presa dal panico, feci due cose: la prima fu andare da una parrucchiera eritrea, Esha, perché sapevo che cuciva delle extension bellissime e avevo bisogno di riavere la mia chioma. La seconda fu cercare aiuto rivolgendomi a un essere umano, anziché al bancone di una farmacia omeopatica. L'idea che mi servisse uno psicologo era impensabile, cosa sarei andata a dirgli? Non è che uno va da uno specialista del genere per una banale questione di infelicità d'amore, mi dicevo. Mica è lo sportello Harmony. Mi vergognavo. E poi sentivo di sapere già tutto quello che non andava in me, cercavo di disintossicarmi dal pensiero circolare che non mi dava tregua. Ero semplicemente una persona incapace di farsi una ragione del proprio fallimento sentimentale. Debole, anche un po' sfigata. E allora tornai all'idea di puntare sulle mie energie, sulle medicine alternative, su tutto quello che la parte razionale – in quel momento tramortita – aveva sempre rifiutato. Mi venne in mente un vecchio episodio. Molti anni prima, alla vigilia di un importante debutto a teatro, mi svegliai completamente afona. In un pomeriggio feci il giro dei più rinomati otorinolaringoiatri di Roma e tutti erano concordi nel dire che non avevano idea di cosa mi stesse capitando, non risultavano infiammazioni alla gola. Avevo qualcosa che nessuno vedeva. Finché un amico non mi parlò di agopuntura. Non ne sapevo niente, commentai che mi sembrava voodoo legalizzato. Fatto sta che non avevo nulla da perdere, mi restavano ventiquattro ore scarse per ritrovare la voce. L'agopuntore mi spiegò che secondo lui la mia era solo ansia. Fui infilzata da un discreto numero di aghi, mi preannunciò che mi sarei svegliata nel cuore della notte tossendo, ma che non dovevo preoccuparmi: la sera dopo avrei debuttato al Teatro Vascello. Questa è la parte della storia in cui il mio lato razionale vorrebbe dire: "E invece no". E invece sì, andò tutto come diceva lui: la tosse di notte, la voce che era già al suo posto la mattina dopo, il debutto come se niente fosse accaduto. Quell'uomo aveva capito che avevo un blocco da qualche parte, aveva dato un nome alle cose e, non so come, mi aveva guarita. Cercai un agopuntore a Milano. Mi cadde l'occhio su una bella signora con i capelli corti, bianchissimi, e un curriculum convincente. Presi un appuntamento e il giorno dopo andai nel suo studio. Era la prima volta che mi trovavo davanti a un estraneo a cui parlare di ciò che mi stava capitando, i capelli che cadevano, le notti insonni, la sfiducia in me stessa, il patimento. Mi concentrai per non emozionarmi, sentivo un tale groviglio di cose da espettorare che dovevo necessariamente conservare freddezza per non crollare. Accadde però una strana coincidenza, a cui ancora oggi, come allora, attribuisco un commovente valore simbolico. Subito dopo le presentazioni, l'agopuntrice compilò la mia scheda biografica facendomi alcune domande. Mi chiese l'indirizzo di casa. Io esitai un attimo, facevo ancora fatica a dire ad alta voce che non era più quello di casa di lui. Lo riferii scandendolo bene, era il nome di un architetto non troppo noto, di quelli che finiscono nelle toponomastiche dei quartieri più recenti, come era il mio. L'agopuntrice alzò gli occhi dal foglio, sorpresa. «Esiste una via che si chiama così?» Non capii il senso della domanda, ma confermai: «Certo, la via della mia nuova casa ha il nome di questo signore che non ho mai sentito nominare, ma sotto c'è scritto architetto...». Lei sorrise. Fissò un punto della stanza dietro di me. «Vede quella bella pianta là dietro?» C'era una pianta da vaso particolarmente rigogliosa accanto alla finestra. «Me l'ha regalata proprio il signore che dà il nome alla sua via, un po' di tempo prima di morire. Sua moglie è una mia paziente, loro due si amavano molto. Io non so perché lei sia qui, ma dico che le porterà fortuna questa nuova casa.» Non so cosa mi accadde in quel momento. Iniziai a piangere senza ritegno, con la signora che mi guardava stupefatta, senza comprendere l'effetto deflagrante che avevano avuto quell'augurio e poi la coincidenza, l'architetto, la toponomastica, la pianta che sopravvive alla morte di qualcuno, la mia rinascita, «le porterà fortuna la nuova casa». La dottoressa mi consolò con un certo imbarazzo, io le spiegai che avevo vissuto una relazione dolorosa in cui ero ricaduta per poi fallire di nuovo, che lui era una persona profondamente sadica, che probabilmente avrebbe potuto cercarmi ancora, quindi non ne sarei uscita con facilità, ero in trappola. Lei mi interruppe infastidita: «Ascolti, lei non mi deve parlare di lui. A me non interessa cosa farà il signore e non dovrebbe interessare soprattutto a lei. È lei che deve non volerlo più. Se davvero sarà convinta della sua decisione, il signore potrà prendere qualunque iniziativa, ma lei a quel punto sarà impermeabile. Mi dia retta: sposti lo sguardo!». Sposti-lo-sguardo. Non disse altro. Rimasi per un po' sul lettino, accanto a una pianta donata da un architetto gentile, con gli aghi infilati sul petto che parevo una martire, sperando di provare sollievo. Ma come per tutti i tossici, era troppo presto perché qualcosa potesse funzionare. Io volevo solo la mia droga e non mi importava del prezzo da pagare. Quell'imperativo, però, mi continuò a frullare in testa: «Sposti lo sguardo». Già, ma per cercare cosa? Alla fine della seconda seduta dissi che stavo recuperando le forze e che mi credevo in grado di restituirgli indifferenza, nel caso fosse tornato da me. Da buona drogata, avevo imparato a mentire, e credo che l'agopuntrice l'avesse ben intuito. La dottoressa non mi vide più. Le sue parole, però, molto tempo dopo, furono più potenti dei suoi aghi.

Folegandros

Erano i primi di luglio e il cuore dell'estate, ormai alle porte, mi terrorizzava. La città si sarebbe svuotata, Leon sarebbe partito per un mese di vacanza con il padre, io avrei trascorso i giorni a immaginare dove fosse lui, su quale aereo sarebbe salito, che vacanza indimenticabile avrebbe vissuto senza di me. Una nostra amica comune mi aveva raccontato di averlo incontrato in un bar in Brera con una ragazza molto giovane, io ne ero rimasta scossa. Forse questa volta non mi avrebbe cercata più per davvero. Forse sarebbe partito per il Messico insieme a lei. Iniziai a pensare che in effetti la mia cura non poteva che essere omeopatica e non perché mi servissero erbe rilassanti.

Mi serviva un'altra persona accanto. Potevo uscire dalla mia ossessione solo attraverso la frequentazione di un altro uomo, magari generoso e amorevole. Inciampai in Francesco durante una cena all'aperto con degli amici, in corso Sempione. Fu il primo ragazzo ad attirare la mia attenzione dopo mesi di indifferenza al sesso maschile. Ci frequentammo fino ai primi di agosto – un mese scarso – poi lui partì per il Nord Europa, dove vivevano le sue figlie piccole insieme all'ex moglie. In quel periodo ricevetti alcuni messaggi laconici da parte del mio ex, che erano chiari tentativi di riavvicinamento: «Oggi ti ho pensata, spero tu stia bene», «Ho trovato il cucchiaino con cui mangiava Leon nel cassetto delle posate, mi sono sentito molto triste» e così via. In particolare, premetteva spesso: «Non te ne fregherà niente ma...». Col senno di poi capii che quell'incipit era un modo subdolo per sottintendere che la spietata ero io, che lui era il sentimentale, quello sofferente dei due. Quei messaggi mi agitavano, ma avevo trovato un'altra droga che, sebbene più blanda, riusciva in qualche modo a tenere a bada la mia (altra) dipendenza. Nel corso degli anni ho capito che se non si va alla radice del problema, le dipendenze si spostano, trovano nuove forme con cui manifestarsi, nuovi (dis)equilibri. Allora, mi parve solo di essere diventata non solo molto risoluta, ma di aver trovato qualcuno che mi piaceva e che rendeva lui, il mio ex, meno magnetico. Fatto sta che ad agosto sarei stata sola, e non potevo permettermi di essere malinconica o vulnerabile. Non potevo rischiare ricadute da assenza di stordimenti. Dunque, decisi di raggiungere degli amici in vacanza a Folegandros, un'isoletta greca che potrei definire "la Capalbio delle Cicladi", visto l'alto tasso di turismo radical chic che passeggia per le sue viuzze. Non funzionò. Lontana da casa, senza la rassicurazione calda di un nuovo "amore", senza l'idea sommersa che lui, comunque, fosse a poca distanza da me, che in qualche modo fossimo ancora vicini e raggiungibili l'uno per l'altra, il pensiero si fece di nuovo circolare. Con i miei amici fingevo leggerezza, ma tornare da sola, in stanza, la sera, era un supplizio. Rileggevo i suoi messaggi cercando appigli patetici per giustificare la necessità inderogabile di una mia risposta. Una scusante. La verità è che ogni suo messaggio era un'esca a cui abboccare. Abboccai. Il 14 agosto il porto ventoso di Folegandros fu il teatro romantico del nostro ritorno all'inferno. Ci baciammo come ossessi per ore. Mi sentivo come sfebbrata, guarita al risveglio, risanata dopo una lunga notte di deliri. Eravamo due tossici in forte astinenza, che finalmente avevano trovato uno spacciatore fornito. I miei amici, scarsamente consapevoli di tutto il pregresso, erano felici per me, convinti com'erano di assistere a un poetico lieto fine, con tanto di ambientazione suggestiva e trama cinematografica. A cena, quella sera stessa, nella chora bianca di Folegandros, arrivammo mano nella mano come adolescenti al primo invaghimento. Mentre mangiavamo gli raccontai che alcune settimane prima un suo conoscente di un'azienda concorrente mi aveva scritto per commentare un mio articolo. Un messaggio simpatico, a cui avevo risposto. Era finita lì. Lui si incupì. Non terminammo neppure la cena. «Mi è passato l'appetito» disse. L'innesco, tra di noi, seguiva sempre lo stesso schema:

un momento idilliaco, un fatto innocuo, talvolta anche solo un aggettivo sbagliato per ragioni insondabili e il vento girava all'improvviso nella direzione opposta. Io non avrei dovuto rispondere a un suo collega che si era permesso di contattarmi, gli avevo mancato di rispetto. Replicai che non lo aveva fatto con chissà quali scopi e comunque io e lui non stavamo più insieme in quel momento, chiunque poteva PERMETTERSI DI CONTAT-TARMI. La discussione degenerò. In un attimo fu come se non fosse passato neppure un giorno dall'ultima volta che ci eravamo lasciati, ovvero tre mesi prima. La vacanza si trasformò in un cumulo rancoroso di recriminazioni, accuse, sospetti reciproci sulla vita dell'altro in quei mesi di lontananza. Non uscivamo quasi dalla camera per stanchezza e cattivo umore, gli amici, il sole, Folegandros non mi videro più. Su quell'isola era arrivato l'Ulisse sbagliato, ma io, ancora una volta, mi ero illusa che avremmo trovato un modo per sopravvivere, insieme, a noi stessi. Tornammo insieme a Milano con l'aria dei reduci, impauriti entrambi dalla quotidianità infelice che ci attendeva.

La centrifuga

Ci prendemmo e lasciammo altre otto volte, in scenari sempre meno romantici di un'isola greca. O forse sarebbe meglio dire "ci prendemmo e mi lasciò" perché il copione era sempre identico, con poche variabili. Io che: «Questa volta non ci ricasco», «Forse è cambiato», «Gli do una possibilità», «È sempre lo stesso, ma ci resto comunque», lui che mi lascia, torna, per poi ricominciare tutto daccapo.

Questa fase durò tre anni infiniti. Dal punto di vista emotivo non fu sempre uguale, anzi. Le altalene emotive e fisiche furono estenuanti. Il dolore non seguiva un andamento prevedibile. Andava a ondate. C'erano settimane intere in cui senza di lui mi sembrava di riuscire a respirare e poi all'improvviso, magari durante una serata al cinema che pareva spensierata, provavo una straziante fitta di malinconia. Senza un'evocazione, senza un perché. Era una sofferenza che viveva di una vita propria, decideva in autonomia come e quando manifestarsi con prepotenza, istigata da moti misteriosi che non sapevo prevedere. Nella mia "speranza distruttiva" erano però subentrati dei lievi cambiamenti. Ogni volta che tornavo con lui, lo facevo con un senso di sconfitta sempre maggiore. Con una dose di malinconia in più. Cominciavo a essere delusa più da me che da lui. Ero io la persona da cui mi aspettavo di meglio. Sapevo, ormai, che non sarebbe durata, che appena tornati insieme saremmo caduti vittime di vecchie abitudini e nuove recriminazioni, eppure ci ricadevo. Non avevo neppure più l'alibi dell'illusione, peccato che il disincanto fosse altrettanto inutile. Se prima prendevo la rincorsa e mi lanciavo convinta che il paracadute fosse aperto, ora mi lanciavo ben sapendo che era chiuso. Non avevo alcuna intenzione di salvarmi.

L'unico tentativo di farmi del bene era resistere un po' di più alle sue suppliche di rivederci. Ogni volta che mi lasciava, le nostre pause erano un po' più lunghe. Un mese, tre mesi, perfino quasi un anno nell'ultima fase. Leon, nel frattempo, continuava ad andare a Roma a trovare il padre, ma quando tornava mi sorrideva. Niente più facce lunghe, capricci, chiari segnali del fatto che stesse a sua volta soffrendo. Mi capitava sempre più spesso di riuscire a vivere qualche momento di leggerezza lontana da lui. E quando lui lo avvertiva, o quando forse i suoi momenti di evasione da noi erano in una fase calante, veniva a riprendermi, sapendo che ero pur sempre una tossica e sebbene avessi timidamente imparato a tenermi lontana dalla droga, bastava che la droga mi cercasse per finire di nuovo con un ago nel braccio.

Nei nostri riavvicinamenti – ci avevo fatto caso – c'erano alcune costanti. La prima di natura temporale: lui tendeva a cercarmi con più insistenza sempre alla vigilia dell'estate o nei weekend. In pratica, nel suo tempo libero. Quando lavorava ero una scocciatura, un elemento di distrazione, un'invasione di campo. In tempo di ferie, probabilmente si sentiva solo. Gli amici avevano figli, famiglie, fidanzate, lui il suo loft, i premi sulla mensola bianca e giornate da riempire. Non è un caso che in quegli anni di distacchi continui, le vacanze estive siano sempre state periodo di riavvicinamenti. E non è un caso neppure il fatto che quelle quattro vacanze messe in fila siano state le peggiori della mia vita. Gli inverni, in compenso, erano cupi, fatti di un tempo sospeso, in cui mi sentivo in apnea, in attesa di un suo cenno per nuotare verso la superficie e riprendere aria. Dal momento in cui ci eravamo incontrati, nella mia vita non era più esistito un vero momento di tregua. Il "né con te né senza di te" è esattamente questo. Quando non esiste più un luogo in cui rifugiarsi, perché l'ossessione dell'altro ti segue ovunque. Un altro particolare ricorrente nei nostri "ritorni" era che per me le opportunità per mettere piede in casa sua si facevano sempre più sporadiche. Osservavo in silenzio con quanta crudele premeditazione evitasse di creare l'occasione per vederci da lui o anche solo nei pressi di casa sua. Se dormivamo insieme, succedeva quasi sempre da me. Se doveva passare da casa per prendere qualcosa, io lo attendevo in macchina, con un tacito accordo di non belligeranza sull'argomento. Avevo accettato anche l'ultima, definitiva umiliazione che gli consentisse di delimitare i suoi spazi fisici ed emotivi. In casa sua ero un'ospite, e anche poco gradita. A questo si aggiungeva un'ulteriore mortificazione. Sapevo bene che durante le nostre "pause" da lui imposte, nella sua casa entravano altre donne. Trovai un balsamo nella doccia, una delle prime volte che misi piedi nel suo loft dopo un breve periodo in cui ci separammo. Impiegai poco a capire che la proprietaria era una nuova collega, probabilmente ingannata quanto me dalle sue promesse. Insomma, quella casa era aperta a donne di passaggio, ma non a me. Anche io, tra una pausa e l'altra, frequentai altre persone e anche un numero considerevole di casi umani come me, solo che mentre lui lo faceva per puro piacere, io lo facevo per non sentire il dolore.

I ricordi di quegli anni convulsi di finti addii e finte riconciliazioni si sovrappongono, faccio perfino fatica a metterli nel giusto ordine perché sono stati pura follia. Un trambusto di scelte disgraziate, di fatti incresciosi, pericolosi e profondamente stupidi. Per la Pasqua di non so quale anno decidemmo di andare insieme a Roma. Lui, qualche giorno prima, aveva una riunione di lavoro, partimmo da Milano e finimmo imbottigliati in un traffico da evacuazione nucleare. Era chiaro che lui sarebbe arrivato tardi a quella riunione. O che forse non sarebbe arrivato mai. Per inciso, quella mattina la nostra partenza era stata rimandata di una mezz'ora perché Leon aveva una visita dal dentista. All'altezza di Firenze, quando realizzammo che Roma era ancora ad almeno quattro ore di traffico da dove ci trovavamo, lui fu al solito incapace di gestire la sua frustrazione e si voltò verso il sedile posteriore, dove c'era Leon in silenzio, per nulla impaziente. «È TUTTA COLPA TUA!» gli urlò. «Se fossi partito prima io ora sarei alla mia cazzo di riunione e invece sono qui, per aver aspettato te!» Stava colpevolizzando un bambino di cinque anni del traffico pre-pasquale. Mi venne in mente quel giorno fuori casa di Justine, le chiavi che Leon aveva perso, quel mio ingiusto: «È colpa tua!» pronunciato in un momento di scoramento. Non se lo meritava, non un'altra volta. Non da lui. Presi le difese di Leon, iniziando a discutere animatamente. E mentre i toni si facevano sempre più alti, intervenne lui, mio figlio, che nel frattempo era rimasto impassibile di fronte a quell'accusa ridicola. «Mi puoi dare la colpa, ma tanto tu per me non esisti» gli disse. Quel «tu per me non esisti» pronunciato da un bambino che andava ancora all'asilo fu per lui una fucilata in pieno petto. Io stessa faticai a credere che mio figlio, col suo peluche di Buzz Lightyear stretto al petto, avesse detto quelle parole così dure, così adulte. Leon gli stava dicendo che al contrario mio lui aveva attuato una sua strategia per difendersi: lo ignorava. E in effetti, quelle poche volte in cui ormai loro due si incontravano, notavo che mio figlio non aveva atteggiamenti ostili, nonostante la situazione malsana gli fosse piuttosto chiara. Semplicemente, lo salutava e poi faceva altro. Ricordo poi un mio compleanno, l'ultimo che trascorremmo insieme, in cui ero particolarmente felice perché pochi giorni prima ero tornata a scrivere su un quotidiano e al primo articolo mi ero conquistata la prima pagina. Mi aveva telefonato il vicedirettore per complimentarsi. Insomma, ero tornata a scrivere come mi era sempre piaciuto fare. E, non a caso, era accaduto durante un lungo periodo di lontananza da lui (eravamo tornati insieme da poche settimane), nel quale avevo ripreso a lavorare meglio. Tra parentesi, il paradosso era che in quell'articolo parlavo di Federica Pellegrini e della sua capacità di prendere decisioni scomode, impopolari in amore, perché meravigliosamente padrona del suo destino. Forse mi era venuto così bene perché Federica era tutto quello che non ero io. Dicevo che c'era un'esatta corrispondenza tra la Federica nell'acqua e la Federica asciutta. Viveva dando gradi bracciate, sempre. Io, invece, a malapena galleggiavo, e questo non lo scrissi. Insomma, era il mio compleanno, c'era un articolo sulla prima pagina di un quotidiano e nel pomeriggio, finito di lavorare, io e lui saremmo andati nelle Langhe, in un albergo che amavo molto, che volevo fargli conoscere. Mi sembrava uno sprazzo di felicità meritata. In macchina gli mostrai il giornale, lui si complimentò con una certa freddezza, mi promise di leggerlo una volta arrivati. A metà strada ci fermammo in un autogrill. Scesi dall'auto, gli squillò il cellulare. Iniziò a discutere animatamente, poi i toni si abbassarono ma la telefonata non finiva mai. C'era un sole rovente, gli feci un cenno pacato, indicando l'ingresso, come a dire: "Entriamo?". Mi fulminò con lo sguardo. Non capii cosa fosse successo, ma nelle relazioni tossiche si impara a capire anche da una semplice alzata di sopracciglio quando è avvenuto l'innesco. Attendevo la mia pena in silenzio, mentre lui terminava la sua chiamata. Non entrammo mai in quell'autogrill. Lui salì in macchina, io lo seguii. Non ci fu neppure un climax, le sue urla precedettero perfino il prevedibile, graduale passaggio dalle sue rimostranze alla lite. «Come cazzo ti permettiiii di dirmi di entrare in un cazzo di autogrill mentre io sono al telefono per cose di lavorooooooooooo? Ma tu chi sei, dove vivi, ma hai mai fatto qualcosa di importanteeee nellaaaaa vitaaaa? Lo sai cosa vuol dire avere delle responsabilitààààà sul lavoro??? Pensi che la mia priorità sia un Camogliiiiii?» Non era la prima volta che lo vedevo così, ma fu tutto più traumatico del solito. Perché l'innesco era ancora più gratuito, perché usciti dall'autostrada continuò a urlare facendo con l'auto, a tutta velocità, numerosi giri attorno a una rotonda e io temetti di finire contro un palo per un cenno di troppo all'autogrill. Soprattutto, perché dentro di me ero convinta che sotto sotto me la stesse facendo pagare per quell'articolo. Perché ero tornata a fare quello che mi piaceva, perché forse avrei smesso con i salottini tv che gli offrivano il pretesto per darmi della frivola. Trascorsi la sera del mio compleanno da sola, in quell'hotel inutilmente romantico tra i vigneti. Lui, passata la sfuriata, pretendeva che si tornasse alla normalità. Io non ce la facevo. Non potevo fingere. Mi aveva rovinato uno dei pochi momenti di soddisfazione degli ultimi anni, oltre che il mio compleanno. «Vabbè, senti, visto che non te la fai passare io vado a cena fuori, ho fame, ciao» fu la sua conclusione. Piansi. Inviai dei messaggi a qualche amica, nessuna di loro aveva più voglia di consolarmi. Sì, mi scrivevano frasi di circostanza, ma erano esauste quanto me dei tira e molla, delle bugie, dei miei buoni propositi che evaporavano, puntualmente, alla sua ennesima apparizione. Lui mi diede il suo regalo il giorno dopo, in piscina. Era una macchina fotografica. «Così alle Eolie farai delle foto bellissime» disse. Realizzai che quella giornata di fine luglio era solo l'esordio di un'estate cattiva e storta a cui io stessa mi ero condannata.

Vulcano

Nel 2010 ci lasciammo per un anno. Fu un periodo in cui misuravo con fierezza la mia resistenza nel non rispondere ai suoi messaggini nostalgici, nel non cedere alle pressanti richieste di rivederci. Avevo ancora voglia di lui, di drogarmi, ma non mi sentivo più la stessa. Ero sfibrata, consunta, esausta. Ero, ormai, lì lì per toccare quel fondo che tanto avevo cercato. Nel 2011, poco prima del mio orribile compleanno di fine luglio, ebbi appunto l'ultima grande ricaduta, proprio quando credevo di esserne ormai uscita. Fu un riavvicinamento poco convinto, malinconico. Ero la tossica ridotta pelle e ossa che si fa un buco con la sensazione che potrebbe essere l'ultimo, che il suo fisico ormai potrebbe non reggere. Mi chiese di riprovarci, di fare una vacanza insieme io, lui e Leon. Gli proposi l'isola di Vulcano. Sapevo che lì c'erano dei suoi amici, che amava le Eolie, volevo accontentarlo. E poi era l'isola più economica dell'arcipelago, ero certa che questa accortezza gli avrebbe fatto piacere. In passato mi aveva considerata a lungo un peso economico, pagai io i tre biglietti aerei. Era tutto quello che potevo permettermi. Non batté ciglio, anzi, a dire il vero ne fu compiaciuto. Prenotai in un residence squallido, non volevo che si lamentasse dei costi di quella vacanza. Dopo quel mio compleanno così mortificante mi ero arresa e, in un certo senso, la resa fu la mia salvezza. Smisi di sperare in una relazione migliore. Accoglievo con rassegnazione tutto il veleno di quella storia, ormai consapevole del fatto che nulla mi avrebbe convinta ad amputare l'arto incancrenito. Piuttosto, avrei lasciato che lui lo prendesse a morsi e me lo staccasse.

L'idea di portare in vacanza anche Leon fu un'ulteriore decisione ingiusta. Anzi, sciagurata. Non meritava più di seguire la scia dei miei errori. Non meritava una madre così egoista da non risparmiargli neppure gli strascichi pietosi di uno spettacolo a cui aveva assistito per anni, suo malgrado. Quelle due settimane in Sicilia furono un susseguirsi di eventi orrendi, una sorta di resa dei conti finale in cui tutto suggeriva che ormai non ci fosse più scampo. Prima di andare a Vulcano ci fermammo qualche giorno tra Taormina e Palermo. Inutile dire che iniziammo a litigare subito, per qualunque cosa. Lui mi insultava, io attingevo dal registro della rassegnazione rancorosa: gli dicevo cose terribili su quanto fosse destinato a solitudine e infelicità perché era un Narciso anaffettivo, ma erano sentenze stanche, senza più neppure una vera intenzione di ferirlo. Tanto, sapevo che nulla l'avrebbe ferito. A Mondello, durante la consueta discussione del dopo cena, mentre passeggiavamo su quella suggestiva palafitta sul mare che si chiama Charleston, d'un tratto mi voltai e non vidi più Leon, che fino a un minuto prima camminava dietro di me. Era buio, attorno a noi c'era solo mare, fui assalita dal panico. Lo chiamai più volte. Lo chiamava anche lui, per una volta visibilmente

spaventato. Percorrevamo il perimetro della palafitta, guardavamo in acqua. «Leon! Leon!» Pensavo che me lo meritavo, mi meritavo tutto, ma lui
no. Leon no. Mi dicevo che se era in acqua, be', lui
era un pesciolino bravissimo, me lo diceva sempre
che quello era il suo vero habitat, altro che l'asilo.
Passammo a perlustrare le file fitte di cabine sulla
piattaforma, ma non si aprivano, erano chiuse a
chiave, Leon non poteva essere lì. Era in acqua,
doveva per forza essere caduto in acqua. I minuti
passavano e forse ormai era annegato, forse anna-
spava proprio mentre io ero troppo presa a litigare
per le solite cose sceme. Quante volte avevo messo
a repentaglio la sua vita in quegli anni? Le scale
del loft, tutte le volte in cui avevo guidato stravol-
ta, con lui dietro sul seggiolino, ignaro dei pericoli
in cui lo cacciavo. Sentimmo il suono inequivoca-
bile di una risata. Anzi, di due risate distinte. Pro-
venivano da una fila di cabine a poca distanza da
noi. Iniziammo a correre. «Leon! Leon!» «Sì?»
Era in una cabina aperta, con due ragazzini che
stavano giocando a carte. Non so come avesse fatto a trovarli, quando fosse sgusciato via, quanto

avessi camminato senza accorgermi che non c'era più, troppo presa dalla lite con lui. Fatto sta che su quella palafitta realizzai che quella sarebbe stata l'ultima volta in cui Leon, nella mia vita, avrebbe contato meno di me.

La partenza per Vulcano fu preceduta da nuove discussioni che inaugurai io. La più accesa avvenne quando lui telefonò per acquistare i biglietti dei traghetti e nel momento in cui gli chiesero le date di nascita mia e di Leon, venne fuori che non se le ricordava. Stavamo insieme da quattro anni, il mio compleanno era stato dieci giorni prima e lui non aveva la più pallida idea di quale fosse il giorno esatto. Quando attaccò il telefono glielo feci notare con un certo disappunto e lui mi aggredì, urlando che le date e i compleanni non contavano un cazzo, che solo gli scemi misurano i sentimenti aggrappandosi a questi dettagli. La verità è che io non sapevo più a cosa aggrapparmi, perché tutto, dai dettagli all'insieme, era uno schifo. Vulcano, come prevedibile, fu un campo di guerra. L'attività magmatica sull'isola fu nulla rispetto all'energia sprigionata dai nostri litigi. Probabilmente, alcuni picchi furono registrati anche dai sismografi. Il "bungalow" era in realtà una casetta di cemento nascosta in una pineta lontana dal mare. Il letto matrimoniale era una rete con un materasso, la stanzetta di Leon un letto a castello di metallo scrostato. Nella doccia una tenda bianca di plastica col fondo ammuffito. Non è che fossi abituata al lusso e probabilmente in un'altra circostanza quel contesto non mi avrebbe turbata, ma la situazione mi intristì profondamente. Potevamo permetterci qualcosa di meglio, ma ogni singola decisione era un adeguamento alle sue esigenze di austerità. E poi io dovevo solo dire grazie, visto che il soggiorno lì lo pagava lui. Non fiatai, ma il mio umore era sepolcrale. Mi stavo spegnendo. Desideravo solo far stare bene Leon.

Fu lì che il mio corpo riprese a parlarmi. Mi venne una febbre da cavallo. Poi le placche alla gola. Era la prima volta che le avevo, mi sentivo a pezzi. Ovviamente, provai un forte senso di colpa, perché impedivo a lui di andare al mare, erano le sue vacanze dopo tanto lavoro, aveva pagato il soggiorno, non potevo permettermi di essere debilitata. Trascorsi un pomeriggio a letto in cui lui e Leon andarono a fare un giretto sul vulcano, poi simulai una guarigione improvvisa e continuai a girare per l'isola come uno zombie per giorni, imbottita di antibiotici e tachipirina. Quando mi rifiutai di trascorrere una giornata in barca con dei suoi amici perché stavo ancora male e perché ero troppo avvilita, lui ci mollò nel residence e ci andò da solo. Questo era il clima.

E più passavano i giorni, più ero arrabbiata con me stessa perché ero ricaduta in quella dipendenza dopo un anno, perché avevo vanificato tutti gli sforzi per disintossicarmi. Leon nel frattempo aveva compiuto sei anni e, seppur piccolissimo, aveva visto abbastanza di noi per maturare una precoce consapevolezza di cosa non fosse l'amore. Una sera, mentre cenavamo insolitamente tranquilli in una pizzeria nel corso principale dell'isola, il mio bambino lo fissò e, senza che ci fosse alcun nesso con quello che ci stavamo dicendo, gli chiese: «Ma tu sei veramente innamorato di mia madre?». Lui fu colto di sorpresa. Rispose: «Certo!», mentendo. Rimase turbato da quella domanda secca e retorica, perché comprese perfettamente di essere stato smascherato perfino da un bambino. In fondo, quella bugia non consolava più neanche me. La droga aveva rosicchiato ogni angolo della mia esistenza. Aveva privato un bambino di una madre felice, per troppo tempo. Ero talmente assuefatta da avere ancora un disperato bisogno della sostanza, ma ormai sapevo che l'estasi non sarebbe più tornata. Capii che stavo toccando il fondo e che più giù non c'era nulla. Avevo almeno smesso di vivere sulle montagne russe. Di avvertire le ondate di dolore che arrivavano e andavano via, in quel martirio costante che era la mia esistenza da quattro anni. Ero sprofondata in uno stato stabile, costante di sofferenza. Questo, stranamente, mi consolava.

Finalmente il fondo

Sopravvissuta a Vulcano, la mia modesta casa milanese mi parve finalmente un posto in cui tornare senza rimpianti. Non che mi fossi liberata della mia ossessione, sia chiaro, ma dopo anni di regole e paletti, il mio appartamento rappresentava una sorta di zona franca in cui un giocattolo poteva rimanere per terra e non dovevo muovermi stando attenta a non calpestare le uova. Leon avrebbe iniziato la prima elementare a giorni, io continuavo a scrivere per quel giornale, conducevo un programma di costume su una rete minore ed ero come sempre in uno stato confusionale, con una forte preoccupazione per il futuro imminente. Conoscevo i ritmi stagionali della nostra relazione. Settembre, per me, ormai era un funerale annunciato. Tornato dalle vacanze, lui viveva con ansia da prestazione il ritorno al lavoro e io, nella sua routine autunnale, ero nuovamente di troppo. Di norma, non arrivavamo neanche a ottobre, per poi riavvicinarci sotto Natale, quando aveva tempo per annoiarsi. Quel settembre, poi, era particolarmente complicato perché lui aveva un grande evento a New York a cui presenziare.

L'idea era di andarci insieme e io avevo già iniziato a organizzarmi con Leon, che sarebbe rimasto a Milano con i nonni, ma i programmi cambiarono all'ultimo minuto con il consueto mantra: «Vado solo, non voglio distrazioni sul lavoro». Non provavo più alcuna rabbia, incassavo affranta. Il mio era un dolore catatonico, senza più sbalzi o picchi. Era come se mi stessi preparando a un gran finale, in uno stato di calma apparente. Le acque che si ritirano tranquille prima dello tsunami, mi verrebbe da dire. E andò così.

La sua assenza in quei giorni di inizio settembre fu un bene, perché toccai finalmente il fondo. E lo toccai mentre lui era troppo lontano da me per riuscire, come sempre, a rendere opachi i contorni del mio disastro. Le relazioni tossiche hanno una peculiarità: si interrompono quasi sempre quando accade qualcosa di così tangibile, di così irrimandabile da non poter più girare la testa dall'altra parte. Non è il dolore che le spegne. È l'istinto di sopravvivenza.

Quel giorno ero in macchina che tornavo dal lavoro, mi ero portata dietro Leon e lui era accanto a me, che giocava col suo inseparabile Godzilla. Sul display del telefono apparve il numero del mio direttore di banca. Accostai. Mi disse che mi avevano pignorato una cifra, quel poco che avevo sul conto, che era per via di un'ingiunzione, una vecchia storia di cui mi ero completamente disinteressata perché in effetti non mi interessava nulla di quello che mi sarebbe potuto accadere nel lungo termine. Da anni, il mio più grande problema era arrivare alla fine della giornata senza perdere dei pezzi, il futuro non mi riguardava. Questa volta, però, la trascuratezza con cui gestivo la mia esistenza mi era costata cara: non avevo più niente.

Dovevo comprare il grembiule nuovo a Leon, i libri, avevo pagato l'affitto con un assegno il giorno prima, dovevo bloccarlo immediatamente.

Fu il culmine dell'abbrutimento. Sentii che ogni cosa intorno a me si era sgretolata. Che a questi quattro anni di mio delirio ostinato non era sopravvissuto nulla. Forse solo l'innocenza di quel bambino che giocava col suo Godzilla sul sedile di una macchina sgangherata, mentre io piangevo, su un marciapiede di piazzale Lotto, in cerca di una soluzione.

Non voglio nulla

Quando tocchi il fondo di qualcosa, la luce non c'è o è sopra di te, molto lontana, ma i piedi, finalmente, poggiano su qualcosa. Ti puoi perfino sdraiare, sul fondo. Riposarti, nella tua sofferenza. Quella sera, mentre lui organizzava un grande evento a Central Park, io ero una povera tossica che aveva perso tutto.

Mi telefonò ignaro della situazione, io lo informai senza lasciarmi andare alla disperazione. Ebbe la sua reazione tipica, della serie: "sempre scocciature". Non gli era però sfuggita la gravità della mia condizione, per cui mi chiese, vagamente irritato, se avessi bisogno di qualcosa. Per "qualcosa" intendeva "soldi", ma confidava nel *lost in translation.* La traduzione corretta non mi sfuggì ma, sorprendendomi di me stessa, replicai che no, non avevo bisogno di nulla. Che a dire il vero non volevo più stare con lui.

Non era una novità lasciarsi. La novità era che avevo deciso io. Che quelle parole uscivano dalla mia bocca per la prima volta dopo quattro anni e nel momento, apparentemente, di mia maggior fragilità. E invece non ero più fragile, ero una persona che doveva aggiustare la sua vita. Ricostruire, finalmente, dalle macerie.

Non avere più niente e non poter contare sulla mia famiglia d'origine per tamponare le necessità più urgenti richiedeva che io tornassi presente a me stessa. Lucida. Fu lì che il pensiero circolare si inceppò. Non fu una questione di dignità, figuriamoci. Fu l'urgenza di sopravvivere che mi costrinse a guardare altrove. A incanalare la mia attenzione nella ricerca della soluzione, interrompendo finalmente il flusso inamovibile di pensieri nella direzione di lui. Come prima cosa mi serviva una piccola cifra per le spese più immediate.

Mi presentai a casa della mia amica Ivana che era già notte, lei mi guardò con affetto e una buona dose di compassione. Mi conosceva bene, sapeva che se ero arrivata al punto di chiedere qualcosa agli altri, forse questa era davvero un'inversione di rotta, e non la solita favoletta pietosa per autoconvincermi. Mi prestò una piccola cifra. Vendetti i biglietti di una crociera di lusso con cui ero stata pagata per essere andata all'inaugurazione (li comprarono i genitori di Ivana, ho ancora il dubbio che si sia trattato di una specie di colletta familiare mascherata bene, per non umiliarmi). Mi ingegnai con i pochi mezzi che avevo per arrivare al mese successivo, quando avrei ricevuto dei pagamenti e si sarebbe sistemato tutto. Più o meno. Le preoccupazioni incombenti stavano togliendo forza al dolore per l'assenza di lui. Non ero semplicemente "distratta", ero finalmente altrove. Nel guardare la mia vita, avevo cambiato punto d'osservazione.

Quando lui tornò da New York mi cercò per sapere come stesse andando. Mi chiese di vederci. Gli diedi appuntamento per quella sera, a casa mia. Non so bene perché, ma ebbi voglia di fare una cosa infantile, forse dettata dall'esigenza di liberarmi anche dell'ultima illusione: quella che, in questa morsa schifosa in cui eravamo finiti entrambi, almeno lui fosse onesto. Mi creai un account finto e gli inviai una mail. Conoscevo i suoi punti deboli, quanto fosse sensibile all'adulazione, nonché la sua vecchia idea di avere "una donna con una posizione accanto", la sua passione per le donne straniere, da esibire come un trofeo di caccia esotica. Scelsi un nome affascinante, non italiano, gli scrissi che ero una gallerista e che avevo visto dei suoi lavori nel settore della comunicazione, ne ero rimasta affascinata. Gli facevo i complimenti, invitandolo nella mia galleria situata non a caso in una città in cui lui (sapevo) sarebbe andato a breve per lavoro. Pochi minuti dopo mi arrivò la sua risposta. Si sdilinquiva in ringraziamenti, aggiungeva note autobiografiche alle poche informazioni che lei sembrava avere di lui, le dava appuntamenti, seguiva lo schema classico del *love bombing* che aveva riservato anche a me, anni prima. La bombardò – anzi, mi bombardò – tutto il giorno di mail, lui mi chiese una foto per sapere come fossi, gli inviai la foto di una conoscente carina, si ringalluzzì ulteriormente. Per mezza giornata provai la sensazione dolorosa e inebriante di ricominciare tutto dall'inizio, di essere la donna che avrebbe sempre desiderato accanto, di avere una seconda possibilità, in una realtà parallela, in cui saremmo stati capaci di amarci nel modo più sano e giusto. In cui l'uno sarebbe stato balsamo per l'altro, anziché veleno. Quella sera, quando arrivò sotto casa da me, non lo feci salire. Ci incontrammo davanti al portone. Avevo stampato le mail tra lui e "Anastasia". Gliele consegnai senza neppure ricorrere a quelle frasi a effetto che tanto avevo sognato di pronunciare, quando finalmente mi sarei sentita così forte da dirgli addio, addio sul serio. Gli dissi che finalmente sapevo chi fosse veramente, ma non era vero. Lo sapevo da quando mi aveva rimproverato per quel tappo dell'ammorbidente avvitato male ed era esattamente ciò che mi aveva legata a lui. La scelta di un uomo non disponibile dal punto di vista affettivo mi aveva illusa di po-

ter sistemare quello che mi era mancato durante
l'infanzia. Sarei finalmente riuscita ad avere amore da chi non era stato capace di darmene.

Pensieri troppo sofisticati per poterli condividere con lui. Come avviene per tutti i narcisisti, lo smascheramento gli fu insopportabile. Non provò neppure ad accampare scuse. Salì sulla sua automobile balbettando che aveva semplicemente scambiato due chiacchiere con una persona e se ne andò, scappando dal suo stesso imbarazzo. Non lo vidi mai più.

Yips

Non basta smettere di drogarsi, per guarire dalla dipendenza. Quando si decide di uscirne sul serio, bisogna sapere che gli strascichi sono lunghi e che prima che ogni cosa ritorni al suo posto (o che magari ne occupi perfino uno migliore), c'è un percorso obbligato da compiere. Tutto quello che si è lasciato indietro negli anni della dipendenza – le tappe saltate, le questioni irrisolte – si presenterà perentorio davanti alla porta di casa, chiedendo di pagare il conto. Non so se è l'inevitabile chiusura di un cerchio o la tracimazione di una diga che viene giù definitivamente, ma la fine di una relazione tossica, nel suo primo stadio, è un lutto senza riposo.

Quando lo lasciai, nella mia vita precipitò tutto, con tempismo crudele. La tv trash si mise a occuparsi improvvisamente della mia separazione, di «Leon bambino conteso dai genitori». Non era vero, non era giusto e stava accadendo di nuovo qualcosa che mio figlio non meritava, tanto più che da tempo aveva riacquistato felicità e spensieratezza. Mi battei come un leone perché i programmi facessero calare il silenzio su Leon, rifiutai ogni invito in tv per replicare, anzi, quella vicenda fu il più grande spartiacque della mia vita professionale.

Quando una nota conduttrice tv mi convocò in camerino per comunicarmi che se non fossi andata nel suo salotto a parlare di mio figlio, avrebbe invitato la controparte a parlarne al posto mio, non solo non mi spostai di un millimetro dalla mia decisione, ma smisi di andare in tv. In quella tv. E fu una decisione da cui non sono mai più tornata indietro. Rinunciai alla mia più cospicua fonte di reddito. In quei quattro anni ero stata incapace di costruire, ma ora dovevo imparare a riparare. Non era finita. Sempre in quei giorni mi suonò la polizia in casa. Tirarono Leon giù dal letto che aveva la febbre, mi perquisirono l'appartamento per un'indagine in corso. Sequestrarono perfino la PlayStation di mio figlio. Fu un'esperienza traumatica, l'ennesima, ma che tutto sommato mi trovò allenata. Mi sentivo comunque meglio nel combattere qualcosa che era fuori di me che nel combattere la droga invisibile dentro di me.

Tutto era un disastro più sopportabile della mia dipendenza. E accadde di più: sentii chiaramente che la catastrofe che stava travolgendo la mia vita mi stava aiutando. Non si trattava neanche più di sopravvivere. Si trattava di riprendere in mano le redini fiammanti, praticamente mai usate, della mia esistenza. Nel frattempo dovevo accettare quello che mi era successo. Ma accettare anche il presente, col suo carico di preoccupazione e di sofferenza. Era arrivato il tempo in cui il senso delle parole dell'agopuntrice si svelava: «Mi dia retta: sposti lo sguardo». Fu così che smisi di giudicare lui, di analizzare la mia relazione, di distribuire meriti e colpe e guardai ME, solo me dal di fuori, finalmente. Spostai lo sguardo. Vidi chiaramente una donna sfibrata, stanca, e provai un'infinita pena per me stessa. Non c'erano più rabbia, giudizio, sensi di colpa, solo una grande tenerezza nel vedermi piccola, ammaccata, reduce da una guerra sfiancante che dovevo perdere, perché perdere era l'unico modo possibile per guarire. Lasciai che tutto mi investisse. Accettai il male che mi ero fatta e che mi ero lasciata fare. Non mi opposi a nulla. Smisi di uscire, di cercare musica a un volume più alto del mio sconforto. Di stordirmi, di dissimulare. Capii che il dolore non fa sconti. Ha le sue tappe e saltarne una non è una scorciatoia efficace. Serve solo a rimandare la fase dell'elaborazione e prima o poi si torna indietro, per affrontare ciò che non si è affrontato.

Lui riprese a cercarmi, certo, ma non eravamo più due treni fermi sullo stesso binario. Io ero troppo in pena per me stessa, per occuparmi di lui. Ora che la droga non era più il mio pensiero fisso, volevo solo prendermi il tempo per guarire e aggiustare le cose.

La velocità con cui la mia vita professionale e quella familiare ripresero a funzionare fu stupefacente. La nostra relazione era stata una sorta di fungo infestante, aveva invaso ogni singolo ramo, radice, foglia, frutto della mia esistenza. Estirpato dalla pianta, i primi germogli erano spuntati fuori subito.

Ricominciai a scrivere quello che mi piaceva. A giocare con Leon rigando un sacco di macchine e di pavimenti. Pochi mesi dopo ebbi un mio programma tv. Scrivevo ancora su un giornale. Feci la mia prima vacanza da sola con mio figlio. Prendemmo una casa più grande. E poi, dopo un po', ho anche scritto dei libri, abbiamo adottato un cane, che Leon ha chiamato inevitabilmente Godzilla. Un giorno, senza farci caso, passai con la macchina davanti a casa sua. Me ne accorsi solo dopo parecchi metri, era diventata una via come un'altra. Non dovevo più evitarla. Accostai l'auto e la guardai da lontano, perfino grata. Solo una cosa non funzionava ancora: l'amore. Dopo aver vissuto quella dipendenza, mi sentivo un giocattolo rotto. Non è che non avessi più voglia di amare o non mi fidassi più o non avessi più voglia di buttarmi. C'era un ingranaggio dentro che s'era inceppato. Frequentavo delle persone anche di valore e ogni tanto uomini disastrosi, ma non ero più capace di distinguere ciò che guarisce da ciò che fa ammalare. Non sapevo quale vite si fosse allentata, quale leva fosse storta, quale giuntura si fosse ossidata. Sapevo solo che dopo quella storia ero un bel giocattolo che funzionava per finta, una ballerina che gira nel suo carillon col braccio incollato e la musica che singhiozza. Aspettavo di sentire di nuovo l'armonia e i sentimenti che giravano. Aspettavo quel giorno in cui l'ingranaggio sarebbe tornato a fare il suo dovere. Nel frattempo, capitava che mi sentissi anche felice con qualcuno, a tratti, ma sempre, irrimediabilmente guasta. Esiste una condizione misteriosa, nello sport, chiamata "Yips", che consiste nella perdita improvvisa della capacità di compiere un'azione che si è compiuta mille volte. Tennisti che perdono il dritto, giocatori di golf che non centrano più la pallina, calciatori che non riescono più a fare movimenti molto semplici. È successo a Sara Errani, a Tiger Woods e a molti altri atleti esperti. Nessuno ne ha mai individuato davvero la ragione. Ecco, io mi sentivo così. Un'atleta di lunga carriera che non sapeva più giocare.

In realtà, mi stavo rigenerando. Stavo ricostruendo pelle, ossa, tessuti, ma era una gestazione che richiedeva pazienza, e qualunque tentativo di essere pronta anzitempo non poteva che fallire. Dovevo disimparare, per ricominciare a imparare.

Dopo quattro anni di ricostruzione, è arrivato Lorenzo. Non è stato tutto facile, ma ho sentito fin da subito che con lui era "la fine dell'assedio". Eravamo tragicamente distanti per età, stili di vita, idee di futuro. Quindici anni di differenza a mio svantaggio. Quando lui emetteva il primo vagito, io forse emettevo il primo grido di piacere. Io accompagnavo mio figlio a scuola, lui faceva fatica ad accompagnare se stesso all'università. «Quanto vorrei avere la tua età, sarebbe tutto più bello» gli ho detto quando ci siamo innamorati. «Non sarebbe più bello, sarebbe solo più facile» mi ha risposto lui. E così un giorno, dopo poco che ci frequentavamo, schiacciato dai miei dubbi, mi ha lasciata. Per la prima volta non ho avuto paura di essere abbandonata, ma di lasciarmi sfuggire l'opportunità di essere felice. Ci siamo guardati da due rive opposte, la corrente ci portava via, allora ci siamo messi a cercare una pietra in mezzo al fiume. Lì ci siamo trovati. Entrambi ci siamo lasciati qualcosa alle spalle – la leggerezza dei vent'anni lui, la voglia di un altro figlio io – ma è andata. Non ci siamo più voltati indietro e ci siamo fidati di noi. Il nostro è un ingranaggio strano, forse somigliamo a quei giri assurdi che fa il cioccolato nella fabbrica di Willy Wonka: un percorso strampalato di nastri, manovelle, bidoni e cucchiai gira-tutto, ma alla fine funzioniamo. Soprattutto, siamo due persone che si fanno del bene. Ed è stato possibile perché eravamo due vasi pieni, quando ci siamo incontrati, nessuno dei due ha colmato un vuoto nell'altro. Ci siamo arricchiti, non completati. Lorenzo è la persona che vorrei essere se non fosse il mio fidanzato, mi piace non solo nella nostra relazione, ma anche e soprattutto fuori dalla nostra relazione. Mi ha regalato, mentre scrivo, sei anni di felicità tonda. Una felicità fatta di crescita e, soprattutto, di riconoscenza. Perché so quanto è difficile «proteggere la grazia del cuore». Perché so quanto è facile usare il dolore dell'altro per alleviare il proprio. Per questo, anche se un giorno dovessi essere delusa o arrabbiata, anche quando magari sembrerà il contrario, conserverò per lui un immenso senso di gratitudine, da qualche parte, tra il napalm e le rose.

Nel frattempo, non ho mai smesso di interrogarmi sul perché sia rimasta impantanata in una dipendenza affettiva, come sia potuto accadere proprio a me, e non ho trovato una risposta definitiva.

Certo, l'*imprinting* affettivo della mia famiglia ha avuto un ruolo, così come lo ha avuto senz'altro la mia indole dominante, che mi ha a lungo illusa di poter dominare tutto.

Di sicuro so che mentre mi succedeva pensavo di non potermi salvare. E che invece mi sono salvata. Non dirò mai che sono felice di essere passata attraverso un dolore che mi ha dilaniata, benché quel dolore mi abbia indubbiamente arricchita. Avrei preferito imparare da un'esperienza meno logorante e, soprattutto, meno diluita nel tempo: l'enorme cumulo di tempo maltrattato è il rammarico più grande. Ho perso momenti irripetibili dell'infanzia di Leon, ho lasciato sfuggire occasioni di incontri, viaggi, conoscenza. Per questo, quando qualcuno oggi mi racconta la sua storia di dipendenza affettiva, l'unica cosa che ricordo sempre è: «Stai consumando del tempo che rimpiangerai». Prima si avvia un percorso di guarigione, prima ci si salva. O, perlomeno, si impara a proteggersi.

Io non so neppure se sono davvero guarita o se ci sono ferite che fanno parte di noi da quando nasciamo, come code primordiali. Penso che la mia inclinazione alle dipendenze se ne stia sempre lì, silente, che somigli a certi virus che se ne stanno nascosti nei gangli nervosi e certe volte restano lì per tutta la vita. Oppure trovano un momento propizio per manifestarsi e tu non sai da quanto fossero acquattati dentro di te, da dove siano venuti. L'incontro con lui, l'oggetto della mia dipendenza, è stato quel momento propizio. Siamo stati, insieme, una profezia feroce che per avverarsi aveva bisogno delle ferite di entrambi. E nessuno dei due, quando l'orizzonte era ormai un drappo nero, è stato capace di spostare lo sguardo.

Perché ci sono storie come certi quadri appesi: tutti li vedono storti, tranne i due abitanti della casa. Storie che non hanno nulla a che fare con la felicità e, soprattutto, con l'amore.

P.S.

Lui, negli anni, ha continuato a inviarmi gli auguri di buon compleanno nel giorno sbagliato.

Ringraziamenti

Ringrazio Daria Bignardi per avermi concesso, per prima, l'opportunità di raccontare questa vicenda così intima nel suo programma tv *L'assedio*. Senza il suo ascolto affettuoso e la sua curiosità gentile non lo avrei ritenuto degno di attenzione. Non ha neppure dovuto stordirmi con una birra.

Grazie, di cuore, a Pablo Trincia e a Mario Calabresi per aver creduto che una storia così personale potesse diventare "universale", scommettendo sul mio podcast. Pensavo lo avrebbe ascoltato solo mio zio, e invece.

Grazie a tutte le persone che hanno voluto condividere con me le loro storie di dipendenza affettiva, dalle meravigliose protagoniste (e protagonisti) del mio podcast *Proprio a me* a quelle che mi hanno scritto e cercata per dirmi: «È capitato anche a me». Mi sono sentita un po' meno sola. E un po' meno scema.

Grazie a Ivana, Giusy, Justine e Ivan, perché c'erano.

Grazie a Giuliana Sias, la mia *gganbu*.

Grazie a Niccolò Vecchiotti e, anche questa volta, ai suoi instancabili: «Come sei messa col libro?». Sei un amico e una guida preziosa.

E infine, la mia gioiosa gratitudine a Lorenzo, a Leon (che mi ha suggerito il titolo di questo libro), al cane Godzilla e al gatto Evangelion, ovvero le più belle INdipendenze affettive che mi potessero capitare.

Indice

Aut. P - 80 - 2021

N. 001267

Finito di stampare nel mese di novembre 2021
presso ELCOGRAF S.p.A., Stabilimento – Cles (TN)